EL INFIERNO PUEDE ESPERAR

Literatura Mondadori

El infierno puede esperar

Hilario Peña

MONDADORI

México, 2010

El infierno puede esperar

Primera edición: octubre, 2010

D. R. © 2010, Hilario Peña

D. R. © 2010, derechos de edición mundiales en lengua castellana:
 Random House Mondadori, S. A. de C. V.
 Av. Homero núm. 544, col. Chapultepec Morales,
 Delegación Miguel Hidalgo, 11570, México, D. F.

www.rhmx.com.mx

Comentarios sobre la edición y el contenido de este libro a:
literaria@rhmx.com.mx

ISBN 978-607-310-164-6

Impreso en México / *Printed in Mexico*

Para Isabel, Karla y Miguel Zápari

La vanidad del hombre podrá ser infinita; sin embargo, su saber sigue siendo imperfecto y por más que valore sus juicios llegará un momento en que tendrá que someterlos al arbitrio de una instancia superior.

CORMAC MCCARTHY,
Meridiano de sangre

Malasuerte yace —aún incrédulo y mirando hacia el cielo en busca de respuestas— sobre un denso charco de sangre, en aquella mañana amenizada por los cenzontles, tan sólo a un par de pasos de su hijo Brandon Peralta, alias el Canelito, el narcotraficante más joven y sanguinario del sur de Sinaloa.

Malasuerte decidió no hacer caso a las advertencias.

—No vaya con su hijo todavía, regrésese, el Canelito lo anda buscando para matarlo —le informó el taxista que lo dejó en la hacienda. Y agregó—: Ese hijo suyo está loco. Es un hijo del demonio.

En esto último Malasuerte había estado de acuerdo.

Aun así, jamás imaginó que el Canelito lo recibiría con un disparo en el pecho en venganza por la muerte de su madre, Sandy Zamora.

Ahora pagaba con sangre por ese exceso de confianza.

El Canelito volvió a enfundar su escuadra humeante y pidió ayuda por radio:

—Tráiganse al doctor. Rápido. Díganle que hay un herido de bala que ocupa ser atendido de manera urgente.

Fue hasta donde estaba su padre e intentó detenerle el sangrado con su propia camisa, sosteniéndolo en su regazo.

Lágrimas comenzaron a correr por sus mejillas.

Su escolta, Gerardo y Adrián, parados sobre la escalinata de la entrada, lo observan estupefactos.

Adrián esboza una sonrisa irónica, casi imperceptible.

Mala idea.

Tan pronto el Canelito se percata de la escena que está ofreciendo a sus hombres, saca su arma y pone fin a la función con cuatro balazos.

PARTE UNO

1

El negocio de la venta de accesorios para celular iba lento. Muy lento. ¿Que por qué me dedicaba a ello? Digamos que en esos momentos mi carrera profesional se encontraba estancada. Estancada en un centro comercial en decadencia, en la parte más muerta de la ciudad, trabajando para un tonto de los negocios, el cual encima de todo se creía vivo.

El empleo lo hallé en el clasificado. Fue el único trabajo para el que no hice entrevista desde que me bajé de aquel atunero muy entrado en las aguas de Nayarit.

Sucedió que me dio por llorar mucho en el mar. No tanto porque extrañase tierra firme, sino porque el trabajo estaba muy matado y yo siempre he sido muy holgazán, la verdad. Me dolían mis manos y además tenía mucha fiebre y catarro porque hacía mucho frío.

Lo mismo me pasó en Culiacán cuando lo del corte del tomate.

Mi mamá siempre lo supo. Ella siempre me lo decía: "Ay, mi hijito lindo, tú naciste para rey, no para trabajar. Eres muy flojo; ése es tu único defecto, mi chiquito lindo".

Lo decía en serio. Tenía razón.

Mi madre siempre me inculcó el buen vestir; sin embargo, en esos días mis recursos eran limitados, lo cual tenía consecuencias graves en mi guardarropa. Por ejemplo, en mi último día como vendedor de accesorios para celular mi maltrecho cinturón de piel sintética color negro no combinaba con mi calzado de gamuza café ni con mis calcetines color azul marino ni con mi pantalón caqui ni con mi camisa de algodón verde toda arrugada por falta de plancha.

En efecto, estaba hecho un asco. Tenía granos en la cara por usar la misma navaja de rasurar por más de un mes y mi cabello se encontraba demasiado largo para mi gusto.

Mi querida madre, ¿por qué te me tenías que morir cuando más te necesitaba?

Lo único que tenía de mi lado en aquellos momentos era la abrumadora informalidad con la que se conducía todo el mundo, lo cual hacía que nadie se fijara realmente en mi indumentaria. De todos modos, por donde sea que uno volteara encontraba hombres caminando muy campantes con cabello largo, largas barbas, camisas desfajadas y tenis para correr.

Fue por eso que cuando alcé la mirada de mi crucigrama para atender a la persona que me abordaba de la manera más educada, con aquella vestimenta seria y formal que la hacía destacar por encima de todas las personas a mi alrededor, pude por fin ver materializada una escapatoria hacia tiempos mejores.

Aldo Flores se llamaba.

Aldo me entregó un panfleto de unos diez centímetros de ancho por quince de alto. En la portada venía dibujado un moño rojo con su listón en diagonal, y, encima de esto, el siguiente mensaje: "La vida eterna es un regalo gratuito".

Era un *highlander*.

Así les llamábamos mi mamá y yo a las personas de su profesión cada que iban a tocar a la casa. Esto debido a un programa de televisión de unos tipos con espadas que decían: "Únetenos y vivirás para siempre".

Ese programa nos gustaba verlo. A mi mamá le gustaba el protagonista. Se le hacía guapo.

La única manera en que un highlander podía morir era mochándole la cabeza. Fuera de eso, vivían para toda la vida. Por eso habían estado en todas las guerras y cambiaban mucho de mujer.

Este highlander también me ofrecía de manera gratuita la vida eterna; sin embargo, en esos momentos no era la vida eterna lo que más me interesaba, sino un alivio inmediato a mi precaria situación.

La actividad de los highlanders se me presentaba de lo más atractiva: mucha caminata, bonitos uniformes y, lo mejor de todo, la posibilidad de conocer nuevas personas.

—¿Puedo irme contigo? —lo interrumpí, mientras me enumeraba uno a uno los requisitos para ingresar al paraíso.

—Está bien —contestó, sin darse cuenta de lo que aquello significaba.

Cerré con candado el aparador y le di la llave a la muchacha del puesto de enseguida.

A partir de ahí me le pegué como lapa al hermano Aldo Flores.

No lo dejaba ni respirar. Me convertí en su sombra. No tardé en aprender todos los trucos del negocio. Era un buen observador cuando me lo proponía.

Aldo Flores me consiguió trabajo como mesero en la taquería de su padre y me regaló un par de pantalones y una camisa, la cual lavaba todos los días en el baño de mi casa, pero nomás del cuello, porque era lo que más se me ensuciaba con esto de las caminatas. Terminaba negro.

También me dio unos calcetines y una corbata azul marino muy pequeñita y de broche que él había usado de chiquito.

Su hermana Araceli, una adolescente morenita y flaquita, no me veía bien. Ella estaba en la caja, cobrando. Sabía que era un vividor. Creía que me robaba las propinas en vez de repartirlas.

—Tú te robas las propinas —llegó a decirme, lo cual no era cierto; mi prioridad en esos momentos no era el dinero.

Araceli creía también que yo me sentía atraído hacia ella, lo cual sí era cierto, debido a que me atraen por igual las mujerzuelas que las muchachas más serias y recatadas.

Digamos que me voy a los extremos.

Yo cargaba la olla con la cabeza de res cocida de aquí hacia allá, para que se me saltaran los músculos y ella me pudiera ver, y ya luego seguía con mis asuntos.

El papá de Aldo era una muy buena persona. Un alma de dios. Y trabajador también. Recuerdo que le preguntaba seguido a Aldo si había algo que se pudiera hacer por mi madre, que siempre había sido católica y que toda su vida le había rezado a la Virgen de Guadalupe, y Aldo siempre me contestaba que no, que no había nada que se pudiera hacer por ella, que ni hablar, que estaba condenada a pasar toda la eternidad en el infierno por andar adorando falsos dioses; pero luego le preguntaba que si, por ejemplo, yo llegaba allá, tú sabes, bien recomendado, y comenzaba a usar mis influencias y mis contactos, pues quizá la podrían mandar buscar allá abajo y traérsela, que al cabo que en el fondo mi madre siempre fue muy buena persona, era sólo que nosotros nunca salíamos cuando nos tocaban a la puerta los highlander, pero más que nada por ignorancia, no tanto porque les tuviéramos ojeriza ni nada por el estilo; pero Aldo estaba terco con que no y no y no, que no había nada que se pudiera hacer por ella, aunque muy dentro de mí sabía que mi madre y yo habíamos hecho bien, porque así, por ejemplo, si resultaba que el cielo era católico, pues entonces mi madre me mandaría llamar a mí, porque ella estaba bien parada con ellos, siempre dando su diezmo todos los domingos y cooperando para las remodelaciones que se hacían y toda la cosa.

2

Bajé del camión urbano cerca del muelle para adentrarme en la colonia 12 de Mayo por el lado de las canchas y la escuelita, en una fresca mañana de cielo despejado. Caminaba rápido y decidido, columpiando mi maletín negro y dando largas zancadas por aquellas callecitas laberínticas, recientemente pavimentadas, cercadas por casitas de todos colores.

De una de aquellas casitas salían amplificadas las notas de una canción titulada "La cosecha de mujeres", lo cual era lo que se cantaba durante el coro. Luego, otra voz respondía: "Nunca se acaba".

Era feliz. Sentía la camisa un poco pegajosa pero estaba bien, me gusta sudar.

Continuamente bajaba la mirada hacia mi pantalón, color negro, para verificar la línea del planchado.

Perfecto.

Enseguida alisaba la camisa blanca con mi mano libre.

No llevaba corbata. A veces causa desconfianza.

La 12 es una colonia de pescadores, obreros y lumpen. Algunas casas incluso despiden un olor a pescado fresco… Me encanta vivir en el puerto. Jamás podría vivir lejos del Océano Pacífico.

Ahora me encontraba *publicando* por mi cuenta. Me había independizado de Aldo Flores en ese sentido, a pesar de que seguía trabajando en la taquería de su padre, donde las propinas eran buenas y el salario también.

Es lo bueno de creer en dios: te consigue buenos trabajos.

De mi independencia pastoril no estaba enterado nadie; mucho menos el anciano de nuestra iglesia.

Había aprendido lo suficiente.

Siempre me ha gustado trabajar por mi cuenta. Como he dicho, la gente no me cae.

—¡Observe lo felices que se ven estas personas en su picnic, conviviendo sin prejuicios con individuos de otras razas! ¡Y vea a sus hijos, rodando por esos verdes prados junto a leones de hermoso pelaje y otras bellas criaturas que en nuestro mundo son mantenidas dentro de jaulas!

—¿Significa que esas bestias se vuelven vegetarianas en el paraíso? —me preguntó el amargado aquel, un señor fornido como de cuarenta años, mientras le enseñaba el folleto—. ¿Qué comerán entonces? ¿Y a qué se debe que esos humanos han conservado sus apariencias? ¿No te parece eso injusto para la gente fea?, ¿el hecho de que tengan que arrastrar su fealdad al paraíso?

—Qué bárbaro, qué negativo es usted. Así como va, definitivamente se encuentra muy pero muy lejos de ser salvo.

Le arrebaté el folleto de las manos y salí de ahí.

Regularmente uno se encuentra mucha gente de ésa. El tipo sólo buscaba alguien con quien pelear. Supongo que estaba aburrido. No pensaba perder el tiempo con una persona así. Yo buscaba algo más, aunque todavía no pudiera precisar qué era.

Llevaba meses buscándolo.

Tres casas más adelante lo descubrí.

La casa, de color azul cielo y decorada con conchas de almeja incrustadas sobre la fachada, tenía por verja una red de pesca sujetada por tres maderos clavados al suelo. Una hamaca hecha de chinchorro colgaba desde la rama de un guamúchil hasta la protección de una de las ventanas. El patio de tierra se hallaba desprovisto de plantas o flores.

Alcé el madero que hacía las veces de portón y crucé el patio hacia la puerta de herrería, donde hice sonar mi moneda de diez pesos.

—¡¿Qué se le ofrece?! —rugió una voz desde el interior.

Y ahí, detrás de la puerta de metal, estaba ella, el fin último de mi peregrinaje, con un decolorado short azul sobre sus bronceadas, torneadas y ligeramente varicosas piernas, las cuales representaban, para mí, la entrada al paraíso.

Al alzar de nuevo la vista me topé con un malhumorado rostro de mirada dura y bellos ojos, el cual me señalaba con la barbilla uno de esos letreros que en algunas casas mexicanas indican el catolicismo profesado por sus ocupantes, rechazando de paso cualquier otra propaganda religiosa.

—Sí, ya veo. Yo también soy católico; es sólo que nomás vengo a informarle de lo hermosa que amaneció hoy, señorita. Le juro que usted me ha demostrado que dios me puso en el camino correcto —le dije, con la mirada más libidinosa de mi repertorio.

—Señora —me aclaró.

—Oh, ¿es usted casada? No lo sabía…

—¿No lo nota? —y giró el rostro para mostrarme un gigantesco morete debajo de su ojo derecho.

—¡Por dios! ¿Necesita ayuda? ¡Si usted así lo desea, yo mismo puedo poner en su lugar a quien le hizo esto! —alardeé.

—No sabe de lo que habla. Mi marido lo haría cagada en un segundo —me informó, despectivamente.

—¿Dónde se encuentra él en estos momentos? —le pregunté, esquivando el insulto.

—Embarcado… Salió ayer.

—Me pregunto si hay algo que pueda hacer por usted…

—¿Tiene una pistola?

—No.

—¿Puede conseguir una?

—Pues, no lo creo… Vivo con unos testigos de Jehová…

—Entonces lárguese.

Y me cerró la puerta de madera, abierta hasta ese momento.

Di media vuelta y me alejé a toda velocidad.

Aquello era demasiada tentación. Debía huir lo más pronto posible de esa morada del demonio; sin embargo, cada paso en la dirección contraria se volvía más y más pesado. La fuerza de atracción era enorme.

Hormonas y feromonas hervían en nuestros cuerpos.

Decidí retomar el camino hacia mi ruina. Toqué enérgicamente a la puerta del infierno con el puño cerrado.

Abrió.

—La amo.

Ella sacó la cabeza para ver si algún vecino nos miraba y enseguida me hizo pasar.

3

En mi vida lo había *hecho* en un catre. Telma había explotado muy bien todas sus posibilidades. Sabía muy bien lo que hacía.

En sus ojos veía mi perdición; el movimiento de su melena pelirroja evocaba las llamas del infierno, en cuya hoguera nos cocinábamos juntos.

Al finalizar, sus rodillas se encontraban severamente laceradas debido a la fricción con el lecho de cuerdas entrelazadas.

—¿Fue cierto eso de que dios te puso en mi camino, angelito? —me preguntó Telma, mientras acariciaba mi cabello, como una viuda negra mimando a su presa antes de devorarla.

—Totalmente cierto —le contesté, convencido, mientras me comía una crujiente jícama con chile que ella me había picado.

—Yo también lo creo, amorcito; yo también siento que dios te puso en mi camino, mi amor.

—Vámonos juntos —le propuse.

—No, no puedo. ¡Todo esto es mío! Todo lo compré yo. Lo que gana *aquél* se lo gasta en su tomadera... No, no puedo dejar que se quede con todo. Tenemos que hacer algo para *salir tablas* tú y yo juntos, mi amor.

—¿Salir tablas?

—No esperarás que a mi edad comience una nueva vida en la vil calle, ¿verdad? ¿O qué, piensas ponerme casa y carro cuando me vaya de aquí?

—Pues con el tiempo…

—¡Qué *con el tiempo* ni qué nada! Eso ya lo he oído miles de veces. Yo necesito saber si estás dispuesto a hacer algo por mí que me saque para siempre del pozo, ¿me entiendes?

—Está bien, Te; tienes razón, cálmate.

—Tiene que ser en el barco.

—¿Qué?

—Humberto tiene que caer en el mar.

—¿Y cómo le vas a hacer para que caiga al mar?

—Tú lo vas a aventar.

—¿Y yo qué voy a estar haciendo trepado en un barco?

—Tú te vas a meter de pescador en su tiburonero. Te voy a recomendar con él.

—No, de eso ni hablar; yo ya estuve en uno y me fue muy mal, Te, me la pasé llorando y con fiebre. Fue humillante, la verdad; se burlaron de mí, me bajaron del barco y me subí a otro que iba para San Blas, cuya tripulación tampoco dejó de burlarse durante todo el camino. No, yo no estoy hecho para el mar…

—Quiere decir que ya tienes tu libreta de mar. Ya tenemos algo menos de que preocuparnos.

—No, Te, por favor, no me atrevo…

Telma me interrumpió colocando sus cuadrados pies sobre mis hombros, atrayéndome lentamente hacia ella. Esta vez comencé besando el barniz de sus uñas, el cual hacía juego con sus labios y su cabello.

¿Qué más podía hacer? Estaba envuelto en su enredadera. Sin escapatoria.

4

—¿Adónde vas? —me preguntó Araceli mientras pasaba por la cocina, donde ella se preparaba un Nescafé para tomárselo con un bolillo relleno de queso Philadelphia.

Desde que conocí a Telma dejé de interesarme por la hermana de Aldo, lo cual al parecer provocó que ella ahora se interesara en mí.

—A un mandando.

—¿No vas a desayunar?

—Gracias, pero ahorita no…

—Has andado muy sospechoso estos últimos días.

—Sí, bueno; ya ves cómo son las cosas cuando uno anda de novio —le dije, con el fin de cortarle las alas… Qué puedo decir, la chica había perdido su oportunidad.

—¡Qué padre! ¿Es una muchacha de nuestra congregación? —su entusiasmo era completamente falso, se lo aseguro. Su mirada triste la delataba.

—Este… No… ella es de otra congregación…

—Ah, qué bien. ¿Cuándo la traes? Estoy segura de que a mis papás les encantará conocerla… Te quieren mucho, ¿sabes?

—Ellos son muy buenas personas.

Apenas me libraba de aquella chica confundida cuando al salir de su casa me topé con don Isaac, mi casero y patrón.

—No te vayas a tardar, Silverio; recuerda que hoy vamos a poner a cocer dos cabezas. Ocupo que me ayudes, Aldo no va a estar.

—Sí, ya le dije que voy a regresar temprano, antes de las doce; no me voy a tardar.

—Bueno.

Estoy convencido de que uno trabaja mucho mejor cuando se encuentra con la libido al tope. De ahí el afecto que me tenía esta familia, gracias más que nada a mi buen desempeño en su negocio, en esos días en que andaba con las hormonas tan alborotadas. Sentía que trabajando duro se me iba más rápido el tiempo que me faltaba para ir a ver a Te.

Estaba hecho un adicto. Llevaba no sé cuántos días consecutivos yendo a su casa. Había perdido la cuenta. Ni a la congregación iba. Llegué a decirle a la familia de Aldo que ahora iba a la iglesia de mi novia, y dado que todos los sábados y domingos salía más cambiadito que de costumbre, ellos pronto lo dieron por hecho.

Y por las noches, a trabajar. Tampoco me tomaba ningún día de descanso en la taquería. Estaba viviendo muy rápido.

Y de pronto:

—Silverio, ya no puedes venir así; *mañana llega*, a partir de mañana tú eres mi sobrino, el hijo mayor de mi prima Catalina que vive en Colima, ¿entiendes? Tú te quieres subir al barco, y cuando zarpe te vas a trepar y lo vas a matar, y ya después nos vamos a casar tú y yo.

—Sí, ya te dije que sí. ¿Me puedes hacer un ceviche?, es que no he comido —le dije, sobándome la panza.

Abrí una cerveza y prendí un Marlboro mientras me sentaba en una de las sillas de plástico que Telma tenía en el comedor.

Ni hablar, ahora había que ver cómo salía de ésta.

Telma me llevaba siete años. Básicamente hacía conmigo lo que quería.

—¿Éste es tu esposo? —le pregunté, señalándole un portarretratos pegado al refrigerador.

—Sí —fue su respuesta.

Llevaba semanas queriéndole hacer esa pregunta pero no me atrevía. Me armé de valor y me levanté de la silla para verlo más de cerca. Mi corazón se hallaba agitado.

Era un toro. Un maldito semental. Cuello de toro, músculos de toro. ¿Cómo podría empujar fuera de un barco a una bestia de ésas?

5

Más que furia me daba asco pensar que había compartido la mujer con aquel señor alto y velludo, al que le estaba mintiendo en complicidad con su esposa.

—Sí, por supuesto que he trabajado en el mar y me encanta. Soy bien trabajador, señor; nomás póngame a prueba.

Se me revolvía el estómago nomás de verlos juntos, interactuando, a Telma y a él.

No se veía que tuviesen problemas. Para nada.

Jamás en mi vida había participado en una situación tan repugnante y ahora quería salir lo más pronto posible de ella. No quería volver a ver a Telma ni quería tener nada que ver con su plan.

¿En qué me había convertido? En un ser despreciable y corrupto, capaz de todo por satisfacer sus más bajos instintos. Un ser desprovisto de la más mínima fuerza de voluntad.

Yo me encontraba parado de espaldas a la puerta; Humberto desayunaba pescado frito. A Telma se le veía ir y venir de la mesa de plástico a la cocina, atendiéndolo.

Humberto iba de short y sandalias azules. Había llegado de madrugada.

—¿En qué empresa has trabajado?

—¡Por qué le preguntas eso, hombre!

—Porque ocupo saber con quién ha trabajado, para pedir referencias.

—¡Eso que no te importe!

—Voy a ver si lo puedo trepar al barco de mi compadre —dijo, después de llevarse un pedazo de tortilla con pescado y arroz a la boca.

Esta gente jamás se cansa de comer mariscos.

—Pero yo no quiero que lo trepes al barco de tu compadre; yo quiero que se vaya contigo, para que lo cuides —replicó Telma, mientras le rellenaba el tarro de cerveza.

—Pero ya estamos completos, mujer —alcanzó a decir Humberto, atragantándose.

—No me importa; no le vas a pagar gran cosa, nomás para que tenga qué comer, ¿no es verdad?

—Así es —dije.

—Nomás va a estar estorbando; nosotros sabemos bien lo que tenemos que hacer cada uno.

—Puedes hacer lo que se te dé tu gana, pero al rato no me estés enfadando con que no puedes hacer nada por la casa porque vienes muy cansado…

—Está bien, mujer. Mañana me lo llevo a la oficina, para que lo den de alta; nomás espero que no me quede mal. ¿Has trabajado con palangre?

—Sí.

—Salimos en una semana. Nos vemos en el atracadero. Es el *Valentina*.

Y siguió comiendo.

6

Sólo había una persona que podía sacarme de aquel enredo en el que me hallaba metido, pensé durante el trayecto a casa de Aldo. Determiné que esa persona era Araceli, su hermana, cuya inocencia y pureza representaban todo lo opuesto a Telma. Sólo ella podía ahuyentar a los demonios que rondaban a mi alrededor desde la muerte de mi madre, quien siempre se preocupó por hacerme transitar por el camino correcto, eso que ni qué.

Decidí que una relación con una muchacha seria y de buena familia sería el antídoto más efectivo en contra de las tentaciones y los malos pensamientos que definitivamente no dejan nada bueno.

Terminadas estas reflexiones arribé al hogar de los Flores con mis problemas ya resueltos y con el corazón por fin en paz. Junto a la acera, un pequeño pick-up blanco que jamás había visto se encontraba estacionado en sentido contrario.

"Tonto", pensé.

Saqué mi llave, la introduje en la cerradura, y antes de hacerla girar, un niñote con cara de vaquita de mar me abrió la puerta.

Yo me asusté, pegué un brinco y casi me desmayo, de lo feo que estaba el pobre.

—Te presento a mi novio —gritó Araceli, emocionadísima.

Por un momento creí que se refería a mí, y que se lo decía a la vaquita marina, simplemente porque no podía ser posible que una muchachita tan dulce como Cheli pudiera involucrarse con semejante adefesio.

—Se llama Jaime…

—Mucho gusto; Silverio —me presenté.

—Igualmente —creo que dijo.

—¿No lo conoces?, es el que nos entrega las tortillas en el negocio; también está en nuestra congregación.

—Creo que sí —dije—. Voy a subir a bañarme para estar listo, con su permiso.

—Propio —corearon los ahí reunidos: el señor, la señora, la hija y el bodoque aquel.

Ni hablar, todo este mundo está corrompido y todo viene desde Adán y Eva, a quienes se les dijo que no hicieran esto y sin embargo lo hicieron y por eso es que ahora tienen a los leones enjaulados y a los tigres también, simplemente porque ya no se puede confiar en nadie ni vivir en paz ni hacer un picnic en los verdes prados, junto al arroyo, con individuos de otras razas, sin que llegue una bestia y te moche un brazo. Por el pecado original, ¿me entienden? Lo único que nos queda es esperar el Apocalipsis, que, por lo que se ve, ya no tarda.

Bueno, regularmente lo explico mejor, pero lo que sucede es que ya perdí la práctica. El caso es que era por todo eso que no podía dejar de pensar en Telma otra vez. En cuanto supe finiquitadas mis esperanzas de redención.

En mi cabeza intentaba remover a Humberto del cuadro y lo lograba, con todo y sus piernas musculosas y velludas que en esos momentos seguramente estarían entrelazadas con las de Telma.

Lo quitaría del camino de una vez por todas.

Así lo decidí.

Lo que sucede es que uno siempre está en busca de ese *algo* que le dé un sentido a nuestras vidas, y ese *algo* es lo que uno tiene que hacer, porque uno está aquí para hacer algo, y cuando no se sabe bien a bien qué es ese *algo*, pues entonces hay que buscarlo, y cuando se encuentra, pues entonces no hay que hacer como que la virgen le habla a uno y voltear para el otro lado, sino que hay que obedecer *el llamado*.

Yo creí que Cheli podría ser el camino, pero no, y cuando es no, es no, porque resultó que cuando quise ella no quiso, y que cuando por fin ella quiso, pues yo no quise, y luego cuando yo volví a querer, pues ya no se pudo, y cuando te das cuenta de que no hay otra posibilidad, pues entonces es cuando te convences aún más de cuál es tu camino, ¿no?

Esa noche no dejé de *pensar* en Telma.

Me imagino que ustedes saben a lo que me refiero, si tienen la edad suficiente.

La noche siguiente igual y la siguiente igual, y así, hasta llegar al día fijado para el inicio de mi misión.

7

El diésel derramado sobre el agua aceitosa del muelle formaba figuras psicodélicas bajo la luz del sol. En algunos barcos atracados había hombres tejiendo redes a gran velocidad y sin hablar demasiado. En otros se entretenían jugando dominó alrededor de una mesa. Las señoras estaban sentadas en las loncherías con sus panzas de fuera, esperando clientes mientras los pelícanos roñosos se alimentaban de los desperdicios regados a su alrededor.

Llevaba conmigo a Lou Carrigan, a Silver Kane, a Clark Garrados y unas cuantas del Estefanía.

Mis héroes.

Toda una paca de libros vaqueros, porque luego a estos pescadores les da por ver la telenovela y a mí casi no me gusta eso.

También traía conmigo mis galletas Oreo, mi caja de cigarros, mis chocolates, mis rastrillos, mi jabón y mi six pack de Coca-Cola y Toni-Col. Cerveza no. En los barcos siempre abunda y, además, no soy muy dependiente de ella. Con uno o dos botes tengo. Yo soy más de bebidas finas. Por ejemplo, con unas cuantas copitas de coñac soy feliz.

Encontré al *Valentina* hasta el fondo del atracadero.

—¿No ha llegado Humberto? —le pregunté a uno de los siete hombres que se encontraban a bordo.

—¿Quién?

—El capitán.

—No.

—¿A qué horas salimos?

—¿Tú eres su sobrino?

—Así es.

—Ponte a tejer.

Como a la hora llegó Humberto. Me le quedé mirando fijamente. No sé por qué. Luego lo supe. Fue una especie de instinto de supervivencia. Le detecté un pistolón fajado al pantalón. Una cuarenta y cinco, lo más seguro. Me vio que me le quedé mirando con cara de asustado.

—¿Qué? —me preguntó.

—No, nada.

—¿Estás listo?

—Sí.

—Nos vamos.

Humberto se dio una vuelta por el barco; revisó una vez más el hielo, el cebo, el diésel, el palangre, y echó a andar el motor mientras los otros todavía se acomodaban instalando sus cosas.

Pasando la capitanía de puerto, el cocinero se dedicó a hacernos el desayuno. Chilaquiles rojos acompañados de jugo de naranja artificial y Nescafé. Tan pronto comimos nos cambio el ánimo a todos; a todos excepto al Mudo, el señor malhumorado que llegando llegando me puso a tejer.

Se fueron presentando uno a uno. Estaba el Perico, que era el cocinero oficial; el Mudo, que la hacía de maquinista y que no paraba de hablar de su título de ingeniero náutico; el Rata, un pescador cuyo rostro le hacía honor a su apodo; el Mocho, otro pescador, quien debía su alias a la ausencia del dedo índice derecho, y, por último, Fausto, el Pelón y el Niño, unos pescadores de Chametla que eran primos.

El Mudo era el individuo más parco de toda la tripulación. No se veía que fuera malo; más bien parecía resentido por algo. No hablaba casi nada y cuando lo hacía era sólo para dar órdenes, porque se creía superior en rango. Él fue el que me puso el apodo de *Rayo*, que por lo rápido que era tejiendo, lo cual no se me hizo justo, y se lo dije, luego de que me trajera *Rayo pa'cá* y *Rayo pa'llá*; *Rayo esto* y *Rayo el otro*.

Le dije:

—No se me hace justo que me pongas sobrenombres porque yo no te he hecho nada, además de que yo voy llegando...

—Pero es que no te mueves, Rayo —me dijo, y luego se metió al cuarto de máquinas.

—No le hagas caso... estuvo bien que le dijeras eso —me dijo Humberto, propinándome un codazo amistoso en el brazo.

8

Colocábamos el cebo sobre los anzuelos a toda velocidad. Nadie nos apuraba, cada uno sabíamos lo que teníamos que hacer. Para mi sorpresa, Humberto resultó ser un jefe digno, con voz de mando y con bastante tacto; supongo que era por eso que todos nos encontrábamos tan a gusto trabajando para él.

Decidí que, después de todo, sí me gustaba el mar. Lo que sucedió fue que aquella otra embarcación que había conocido antes iba tripulada por individuos de la peor calaña. Cholos, drogadictos, maleantes, bestias de carga. Gente igualada, corriente. De lo peor. Estas otras personas, en cambio, eran bastante simpáticas y bien educadas. Eso era lo que hacía la gran diferencia. La educación de la gente. Así hasta le daban a uno ganas de trabajar, por extraño que esto suene, viniendo de mí.

Además, se sentía bien estar alejado de los vicios, de las tentaciones y de las preocupaciones propias de tierra firme. Se sentía bien estar lejos de las mujeres por un rato. Como un monje.

Recogimos la red al amanecer del día siguiente.

Un par de velas, un marlin, como seis tiburones, dos martillos, varios dorados y una caguama, la cual nos comimos ese mismo día sin dejar rastro.

Yo escuchaba que Humberto se quejaba de que había sido mucha pesca, pero no entendí por qué lo decía hasta dos días después, cuando nos encontramos con otro barco del mismo tamaño, lleno de chiapanecos que nos comenzaron a lanzar paquetes desde su embarcación a la nuestra, los cuales luego fueron a dar a la bodega.

—Colócale una cama de hielo a todo eso —me ordenó Humberto.

Luego los chiapanecos se fueron por donde llegaron y nosotros reanudamos la pesca. Todos se me quedaban mirando medio raro, como con desconfianza. Yo no quería hacer preguntas.

Entrada la noche, Humberto me mandó llamar al puente de mando.

—Me imagino que sabes lo que hay en esos paquetes —me dijo, con una pachita de tequila en la mano.

—Sí.

—Por eso no quería que vinieras con nosotros, porque nos la estamos jugando; pero es que tu tía es muy terca y no hay modo de ganarle…

—Entiendo; no se preocupe, *tío*, yo no voy a decir nada…

De ahí hubo una pausa en la que mi tío se quedó como reflexivo, como que no muy seguro de decir lo que estaba a punto de decir; le dio un trago a la botella y entonces, impulsado un poco por la fraternidad propia de los hombres de mar y un poco también por el alcohol ingerido, comenzó:

—Telma, tu tía, ella es una buena mujer, me quiere bien, mejor dicho me quiere un montón; nosotros hemos estado juntos en muchas, y hemos salido adelante, la verdad que sí; es sólo que tiene un problemita, eso es todo. Yo no sabía que lo tenía, ni ella, hasta que llegó el casino a la ciudad y fue un día con unas amigas y luego otro y luego otro y luego otro y luego otro. Investigué en el internet y resultó que es una enfermedad. Hasta nombre tiene. Ludopatía, le llaman los doctores. Es bien difícil. Te da y es peor que una droga. Viene en tus genes, ¿ves? Es como una sustancia que se libera en tu cerebro cuando apuestas en grande, y luego ya no puedes vivir sin esa sustancia. No puedes vivir sin apostar… Mira, carajo, no sé si tu tía te lo habrá dicho, pero nosotros vivíamos en un fraccionamiento bien exclusivo que hay en la ciudad; ahí la tenía viviendo, un caserón de cuatro recámaras, cocina toda de acero inoxidable, vitropiso. La casa bien amueblada, con pantalla de plasma y una camioneta Lobo en la cochera. Todo lo perdió. Te lo juro. Cuando regresé no había más que puras deudas. Le pegué. Cómo me arrepiento de haberlo hecho, pero no me puedo contener. Siempre que vuelve a jugar le pego… No me alcanza… Nosotros podríamos estar viviendo mucho mejor, ¿me entiendes?… Ya la llevé con un doctor que me dijo que la tenía que apoyar, cuidándola, dándole su tratamiento, comprándole sus medicinas, pero es que yo no puedo estar al lado de ella todo el tiempo… Tengo que trabajar. Por eso me metí en esto, ¿me entiendes? Porque si no, no puedo… Es mucha lana la que se me va… Tengo que hacer *esto*. Por tu tía. Como te digo, ella es muy buena. Mira…

Humberto sacó su cartera, de donde extrajo una hoja de papel que comenzó a desdoblar, emocionadísimo.

—Mira, quiero que leas esto en voz alta…

Me extendió la hoja de papel, la cual contenía una nota escrita a mano, con una letra tan sólo un poco inclinada hacia la derecha.

"Amor, si puedes saca la lubina del conge para que te hagas unos filetitos. Abajo hay ensalada y arroz. Compra tortillas. Te quiero… En la noche nos vemos."

Terminé de leer la nota sin saber qué demonios extraer de todo aquello.

Humberto me puso al tanto:

—Ese recado me lo dejó en la mesa de la cocina un día que sabía que yo iba a llegar del barco a la hora en que ella estaba en su clase de la escuela de cultura de belleza. ¿A poco no se ve que me quiere un montón?

—Yo digo que sí.

—Muchacho… cabrón —agregó, a punto de llegar al llanto—, quiero decirte algo.

—Dígame, tío.

—Ayer, antes de salir, Telma me pidió que me cuidara mucho; estaba mortificada por algo, no sé por qué. Ella es medio supersticiosa, ¿sabes?, le gusta el tarot y todo eso; pero el caso es que me pidió que durante el viaje este estuviera muy cerca de ti todo el tiempo. Me dijo que eras un buen muchacho, un muchacho bueno. Ahora entiendo a lo que se refería. Se nota que eres bueno. Me caíste bien, cabrón, vente pa'cá…

Y me abrazó. El abrazo duró varios segundos.

Cuando nos separamos noté unos gruesos borbotones de lágrimas emergiendo de sus ojos. Humberto se las limpiaba pero luego salían más.

Sí.

Mujeres…

9

Aquella misma noche fui visitado de nuevo por el mismísimo demonio, quien me recordaba con insistencia mi cometido en la embarcación capitaneada por su marido. Le dije que estaba bien, que ya se me ocurriría una manera de cumplir con su designio, que no se preocupara, que su plan marchaba sobre ruedas.

Al día siguiente, aquel cielo despejado no lo fue más y entonces pude ver mi plan perfectamente trazado en el horizonte. Un extenso manto nebuloso se aproximaba velozmente, con truenos, agitación y tempestad a su paso. Con el motor de nuestro barco no habría manera de franquear aquella tormenta.

—Fausto, no se te olvide cerrar bien la bodega —le dijo Humberto al pescador pueblerino, alejándose rápidamente.

—Sí.

—Fausto —intervine—, tú sigue recogiendo las cosas. No te preocupes, yo cierro.

En lugar de ello dejé emparejada la puerta y regresé al camarote. Una media hora más tarde las olas y el viento comenzaron a azotarnos. Luego vino la lluvia.

Humberto quitó el automático e impuso guardias de timón de dos horas cada una. El primero en subir al puente de mando fue el Mudo. Nuestras pertenencias rodaban por el camarote. La alacena no paraba de vomitar ollas, cubiertos y víveres, los cuales también terminaron regados por todo el suelo. Las olas seguían creciendo en tamaño y fuerza. Yo, por mi parte, no tenía tiempo para cabrearme. Tenía que actuar, y rápido. En la costa me esperaba una mujer ardiente cuyas piernas representaban mi entrada al paraíso terrenal.

Su cuerpo era mi tierra prometida; había terminado por verlo de esa manera. Telma tenía que ser mía.

Al ver llegar al Mudo al camarote, todo aturdido y golpeado por la tormenta, supe que me había tocado el turno de subir al puente de mando.

—Yo sigo —le dije.

—Yo voy a checar la máquina.

Me coloqué el impermeable y emprendí el camino a cubierta, sujetándome de cuanto había a mi paso. El choque de las olas contra el casco del *Valentina* parecía traer siempre consecuencias graves a mis extremidades.

Al llegar a la cabina pude notar que ni la radio ni el radar funcionaban en esos momentos. Aun así, Humberto no perdía la compostura y se lo tomaba todo tan tranquilo. Seguramente había pasado por situaciones similares cientos de veces. Finalmente me cedió el mando y se fue a sentar a una esquina, agotado. Yo escuchaba las puertas de la bodega azotándose pero no quise decir nada. Aún no. Dejé que Humberto siguiera dándome instrucciones sobre cómo controlar el navío hasta que él mismo se diera cuenta de mi negligencia. Cuando por fin lo hizo y me insultó, yo salí tras él.

En mi camino hacia la proa tomé una de las chivas con las que apaleábamos a los tiburones y la oculté a mis espaldas.

—¿Y tú qué haces aquí? —me preguntaba Humberto, mientras cerraba la bodega con candado.

—Lo siento —le contesté, colocándome a sus espaldas, con la gruesa barra de metal a punto de comenzar su descenso en espiral.

Como lo conecté en el proceso de agacharse de nuevo, el primer swing lo alcanzó sólo de rozón entre su nuca y su oído derecho. Chilló. Luego se llevó una mano a la cabeza mientras caía encima de la bodega. No le di oportunidad de voltearse. Lo seguí atizando hasta que dejó de moverse.

"Lo siento, de verdad… Perdóname."

Aún me sigo preguntando si los que matan por amor también van al infierno.

10

Lo que sucede es que no soy una buena persona. Yo soy lo que se dice una mala persona. Eso soy yo. No hay vuelta de hoja. Lo maté porque soy Caín y Judas y Nerón, todos juntos en uno. Soy el rey David en sus peores momentos, enviando a Urías al matadero por una mujer. Ése soy yo. Ése es mi destino. Obrar mal. Lo tenía bien claro. A mí definitivamente no me toca encarnar el papel de la víctima. Eso también lo tengo bastante claro. Antes no lo veía así pero luego entré con los testigos y me di cuenta de que para que hubiera buenos por fuerza debía haber malos, porque si no, entonces habría problemas de sobrepoblación en el paraíso y entonces habría demasiados niños en los verdes prados y entonces ya no se vería tan bonita la pinturita de esa manera.

11

Hice como Telma me dijo. Como pude arrojé el cadáver de su marido por la borda. La sangre derramada se limpiaría sola con la lluvia que no terminaba de arreciar; la que se filtraba dentro de la bodega, ésa se confundiría con la del pescado.

Me encontraba bastante tranquilo. Todo había salido demasiado bien. Mucho más fácil de lo que pensé. Era por eso que me encontraba excitado; no por otra cosa, sino por la sensación de haberme salido con la mía.

Regresé a la cabina y le hice al lelo por un buen rato. Como a la media hora volví a poner el automático y bajé al camerino preguntando por Humberto.

—¿No está arriba contigo? —me preguntó el Perico.

—No —respondí, extrañado—. Me dijo que iba a bajar por algo y luego ya no regresó…

12

Por alguna razón que todavía no alcanzaba a descifrar en esos momentos, el Mudo y yo acabamos siendo muy buenos amigos. Fue él quien se hizo cargo de la embarcación luego de la misteriosa desaparición de Humberto el día de la tormenta. Él fue el único que no me agarró ojeriza a partir de aquel trágico y devastador acontecimiento.

Ya no estaba tan mudo.

—No te preocupes, estas cosas pasan —me dijo incluso.

—Gracias —le respondí.

Resultó que el Mudo traía consigo una copia de la llave de la caja fuerte, la cual Humberto mismo le había dado, desde que los dos eran socios, junto con don Florencio, el dueño del barco, en el negocio de paquetería que estuvieron llevando a cabo hasta ese día, cerca de las aguas de Jalisco.

Dentro de la caja se encontraba el capital para *las mordidas*, destinado a la capitanía de puerto. Era por eso que el Mudo se encontraba tan tranquilo.

13

Durante el camino de vuelta los tres muchachos pescadores que venían del municipio de Chametla no paraban de instigarme a que luchara con cualquiera de ellos arriba del barco; sin embargo, yo fui más listo, evitando caer en sus provocaciones en todo momento, las cuales terminé ignorando, a pesar de sus insultos.

—Sinceramente, yo no sé qué clase de persona creen que soy, pero si piensan que voy a rebajarme al nivel de las bestias, batiéndome a golpes con ustedes tres, lamento informarles que están muy equivocados.

—Yo te voy a decir qué clase de persona eres: eres puto; ¿por qué no le entras? Con el que quieras, escoge a uno —me increpaba el pescador al que le decían el Pelón.

—Si te refieres a que soy homosexual, te equivocas en eso también. Mira, comprendo que estén afligidos por la muerte de Humberto, yo también lo estoy, sólo les pido que aprendan a canalizar mejor sus frustraciones, en vez de querer desquitarse siempre con el más nuevo.

Pero ellos no entendían mis argumentos y enseguida me lanzaban un puñetazo que yo alcanzaba a esquivar.

Afortunadamente siempre llegaba el Mudo y me los quitaba de encima.

14

Como he dicho, el Mudo y yo terminamos convertidos en muy buenos amigos. Pasábamos mucho tiempo juntos. Todas las mañanas de aquel húmedo y caluroso verano íbamos a las carretas de mariscos en su camioneta y por las tardes nos metíamos a Los Panchos, una cantina con techo de palma en la que se tocaban mucho las canciones de Los Apson.

También íbamos al Navegante, un bar muy fino frente a la playa, en una zona pasada de moda, donde un grupo de techno-cumbia tocaba covers de Marco Antonio Solís y las señoras cobraban a treinta pesos la pieza.

La última vez que vi al Mudo fue en la salida de ese lugar.

Yo bailaba abrazado de una señora ya mayor pero muy elegante y el Mudo soltó su respectivo cartoncito de cerveza, a quien dejó ahí bailando en la pista, sola, para irme a decir que ocupaba un favor.

—Ten —me entregó una pequeña veintidós que no supe nunca de dónde salió.

—¿Qué pasa?

—Silverio, necesito pedirte un favor.

—Lo que sea, mano.

—Necesito que te asegures de que nadie entre al baño en unos momentos. Que los mantengas a todos a raya. Yo te digo cuándo.

—¿Qué?

Me explicó:

—Realmente no soy ingeniero náutico.

—¿Qué?

—Nunca me recibí.

—¿Qué?

—Deja te explico…

15

Resultó que el Mudo nunca se recibió como ingeniero mecánico en la Escuela Náutica del puerto.

Sucedió de la siguiente manera. El Mudo fue a sacar su ficha de inscripción a la Escuela Náutica con el cabello largo hasta los hombros, los pantalones acampanados, una camisa floreada de cuello largo y unas sandalias de correas. Fue ahí que los alumnos del segundo año lo vieron por primera vez.

Jamás lo olvidarían.

El Mudo se ganó el apodo de *el Jipi*.

A pesar de que ahora el Mudo cargaba el pelo a rape, su antigua informalidad se la hicieron pagar caro desde el primer día de clases:

"Jipi, sáltate la barda y tráenos un doce. Si te agarran habrá *palo*".

"Jipi, traigo hambre, consígueme una hamburguesa sin cebolla y mucho tocino."

"Jipi, ven para acá… Te dije sin cebolla."

Lo que hacía el más sádico de los alumnos del segundo año con el Jipi cada que éste le traía mal un encargo era que les pedía a sus compañeros que lo sujetaran boca abajo y con el culo pelón, procediendo luego a ir por un remo con el cual el Mudo era azotado cincuenta veces, con saña.

De regreso en su casa los fines de semana, Alfredo, el hermano mayor del Mudo, se encargaba de aplicarle en los glúteos la pomada para las ampollas, ya para ese entonces reventadas.

La cosa se repitió durante todo el año.

El Mudo jamás se presentó al tercer semestre, a pesar de los fervorosos deseos de sus padres de que su hijo se convirtiera en ingeniero náutico.

El individuo que iba entrando al Navegante mientras yo bailaba con la señora y el Mudo con su cartoncito de cerveza era José Bravo, el chico del remo que no comía cebolla.

El Mudo no le quitó la mirada de encima.

—Ora sí, Silverio, necesito que nadie entre.

—Seguro —dije, y lo seguí.

Ya en el baño, José Bravo fingió demencia. El tipo era un chaparro insignificante, de manos chiquitas y cabello *flat top* canoso.

—¿Te acuerdas de mí? —preguntó el Mudo.

—No —le respondió aquél.

—Mírame bien.

—¡Hola, Jipi! ¿Cómo te ha ido, mano? ¡Qué bueno es verte!

El Mudo lo hizo probar el agua de cada uno de los escusados. Yo no dejaba que nadie entrara, ni siquiera los guardias, cuando se puso verdaderamente dura la cosa. Mantenía a todos a raya con el revólver del Mudo.

Me sentía conmovido.

—¡Jipi, por favor! ¡Por lo que más quieras, ay! —chillaba el enano aquel.

El Mudo se llamaba Jorge.

—En fin, aquí nos separamos —me dijo el Mudo, dándome la mano y un abrazo—. Supongo que te voy a dejar de ver por un buen rato. Me voy a ir a Piedras Negras con una tía que tengo allá… Ora sí, estoy en paz.

El Mudo tomó un taxi verde ahí mismo y no lo volví a ver.

16

Todo se me estaba viniendo abajo. Llevaba más de un mes sin ver a Telma. La desesperación me estaba matando.

En casa, por otro lado, los Flores ya no hallaban cómo correrme. Sabían que algo raro estaba sucediendo. Entre mi evidente distanciamiento de Jehová y mis noches de juerga con el Mudo, la familia entera se terminó convenciendo de que ya no me querían con ellos.

A esas alturas del partido lo único que tenía a mi favor era la cantidad de mariscos en el congelador de los Flores, cortesía de su inquilino *el sospechoso*. Seguido debía esquivar sus indirectas y sus no tan indirectas:

—Silverio, hijo, ¿cuánto hace que no vas al estudio?

—He estado muy ocupado, *madre*; he estado hasta la coronilla con los asuntos del barco todos estos días, sobre todo los fines de semana. ¿No sabe a qué horas puedo ir entre semana, mejor?

17

Me encontraba en un fraccionamiento exclusivo que se llama Las Lomas, donde las calles son de adoquín y por todos lados hay letreros pidiéndoles a los conductores que reduzcan su velocidad, porque es área de niños jugando; sin embargo, yo no vi a ningún niño ahí y ni siquiera a varios kilómetros a la redonda.

Toqué el timbre en la casa más fea de todas, un monumento neobarroco color melón con molduras por todos lados. El dueño del *Valentina*, un nuevo rico, nunca se tragó el cuento ese de que Humberto se cayó del barco a causa de una ola gigante que nadie más que el Mudo y yo llegamos a sentir; sin embargo, no le quedó más remedio que guardarse sus sospechas para sí, en tanto que su cargamento había arribado a puerto sano y salvo.

—Corrobore nuestra versión, ¿qué le cuesta? Usted sabe lo que le puede pasar si intenta perjudicarnos —le dije.

—Sí que lo sé.

—¿A qué se refiere?

—No nos hagamos tontos: tanto tú como yo sabemos perfectamente bien quién mató a Humberto.

—¿Y quién lo mató, si se puede saber? —le pregunté, altanero.

—Por favor, no me salgas con eso… El Mudo, ¿quién más? Es el que se ha estado bombeando a su vieja todo este tiempo. Eso todo mundo lo sabe, es sólo que nadie se lo decía al Humberto por no causarle más penas al pobre, y la ruca y el Mudo se pusieron de acuerdo, para qué nos hacemos tontos, si tú mismo fuiste su cómplice… ¿Qué te pasa? ¿Te sientes bien?

Aquel puñetazo me sacó el aire. Estaba helado. Como dicen, se me había ido la sangre hasta los talones.

Salí de la casa de Florencio Lizárraga, tomé un taxi, ignoré la conversación acerca del clima, pagué la cuota fijada y, como pude, me arrastré hasta mi cuarto para pensar por un momento solo, sentado sobre la suave cama de los Flores.

Aldo tocó a la puerta. Me fue a avisar que me subirían la renta a setecientos cincuenta pesos semanales. Me levanté, saqué el dinero de mi cartera, abrí sólo lo suficiente, saqué la mano con los billetes, se los arrojé al suelo y le dije:

—Ahí está, no me estén molestando.

—Pero…

Le cerré la puerta en las narices.

Intentaba pensar con claridad. No lo lograba. Pensaba: si me portaba bien de ahí en adelante, ¿cuáles serían mis probabilidades de ingresar al paraíso?, y si lo hacía, ¿con qué aspecto llegaría? ¿Qué tal si me tocaba morir todo desfigurado?, ¿o anciano?

Después de todo, el vecino de Telma tenía algo de razón.

No se me haría justo lucir todo anciano sólo porque morí de viejo, mientras que los que tuvieron la fortuna de morir jóvenes lucirían por siempre jóvenes… Aunque también recuerdo haber oído decir a los highlanders que llegando arriba uno comienza a rejuvenecer hasta adquirir la edad de mayor vitalidad, ¿pero eso en qué parte viene? ¿O es que acaso es algo que dicen sólo para conseguir más clientes?

También me preocupaba mi madre. ¿Qué tal si para ese entonces ella se desilusionaba de mí, por mis malos actos, y decidía mejor no jalarme al paraíso de los católicos, para no hacerla quedar mal frente a sus amistades?

Luego pensaba en Telma. En caso de perdonarla, ¿sería capaz de convertirla en una buena persona de una vez por todas, para ir juntos a los estudios por el resto de nuestros días y así hacer méritos?

Imposible.

¿O qué tal si me encontraba a Humberto en el cielo? ¿Qué le iba yo a decir? "Lo siento, mano, yo ya soy bueno; me estuve cogiendo a tu vieja por un tiempo, pero aquí la tienes de vuelta."

Decidí que no había por qué engañarse: tanto Telma como yo nos dirigíamos directito al averno, para qué demorarlo más tiempo.

Encendí un cigarro. Luego otro y otro más después de ése. Seguía pensando.

Si llegaban a tocar de nuevo para decirme que no podía fumar en la casa, alguien resultaría herido.

No lo hicieron.

La cabeza me daba vueltas. Los muros se me venían encima. No lo soporté más y salí a dar un paseo; sin embargo, sólo había un lugar al cual ir, a pesar de todas mis precauciones.

Por la noche, cuidándome de que nadie me viera, me deslicé hacia el patio trasero de Telma y agucé el oído. Escuché *las* voces. Portaba la veintidós que el Mudo me había dejado. Toqué a la puerta con los nudillos.

Esperé. Nadie salió. Lo volví a hacer.

Busqué una roca. Encontré un motor de lavadora en el suelo. Lo levanté y lo arrojé con todas mis fuerzas al vidrio de la puerta, introduje la mano entre los barrotes de metal y abrí por dentro, cortándome el antebrazo en el proceso.

Me encontraba en la cocina. Alguien salía por la puerta de la entrada. Comencé a disparar. El cuerpo azotó boca abajo en la tierra del patio. Telma no gritó. Era como si ya lo hubiese visto venir. Al bajar la mirada hacia el cadáver recordé una cosa: el Mudo no era gordo.

Intenté voltear el cuerpo con el pie pero no pude, así que lo hice agachado y con las dos manos. Ahora tenía frente a mí a un individuo que jamás había visto en mi vida. Un nuevo personaje en esta desquiciada trama.

Respiraba, a pesar de los tres orificios de salida en su pecho.

—¿Y tú quién eres?

Abrió un ojo y luego el otro. Era un tipo de robustas mejillas y usaba bigote. Comenzó a respirar con más fuerza.

Luego dijo una grosería que no quisiera reproducir porque me chocan las groserías. No me caen las personas que las dicen, pero el caso es que a lo que se refería el gordito con su palabrota era a que él era inocente de cualquier crimen, en tanto que Telma sólo le había aplicado sexo oral, todo a cuenta de una deuda sin pagar. Que fuera de eso entre ellos no había nada, que no había de qué preocuparme. Eso fue lo que me aseguró.

Luego sus ojos se le comenzaron a cerrar poco a poco, a pesar de sus esfuerzos por mantenerlos abiertos.

Luego ya no los volvió a abrir.

18

Arrastramos el cuerpo dentro de la casa.

—¿Quién es?

—Es una de las personas para las que trabajaba mi esposo. Le traía cosas.

—Sí, ya sé.

—¿Qué vamos a hacer?

—Vas a decir que fue el Mudo.

—¿Cómo?

—Es su pistola.

—¿De qué hablas?

—De ahora en adelante vas a hacer y decir lo que yo diga. Tú me metiste en esto, ahora no creas que me vas a sacar tan fácil. ¿O crees que no sé que te revolcabas con el Mudo mientras yo me aguantaba las ganas de venir sólo por no meterte en problemas?

—Silverio, no quisiera herir tus sentimientos, pero la verdad es que me he estado revolcando con muchos… Sinceramente no creí que te lo fueras a tomar todo tan en serio, ni que llegarías a tanto…

Le crucé la cara de un puñetazo. La zarandeé de los cabellos y le di otro.

De ahí nos besamos.

19

Me levanté del suelo.

—Me tengo que ir —le dije.

Aún tenía fragmentos del piso de cemento en la espalda.

—Amor, ¿adónde vas?

—No te preocupes, no me voy a ir lejos. Te voy a tener vigilada. Es sólo que no me puedo quedar aquí.

Me abrazó y me besó los hombros.

—No te vayas, no me dejes sola, por favor. Estoy enferma. No me puedo quedar sola. Tengo miedo de hacer algo malo otra vez.

—Yo te voy a cuidar, no te preocupes. Por lo pronto llama a la policía. El muerto se nos está enfriando.

El único lugar disponible para tener vigilada a Telma era una bodega abandonada encima de lo que antes había sido un taller de laminación, contra esquina de su casa, la cual todos los sábados y domingos por la mañana era usada como sala de ensayos por un conjunto de música de rock.

El dueño del inmueble me dijo que no podía correrlos debido a que uno de los cuatro guitarristas del conjunto era hijo de su hermana y estaba en deuda con ella.

No podría decir que el conjunto de música de rock tocaba mal, ya que decirlo constituiría un pleonasmo, puesto que para mí todos los conjuntos de música de rock suenan infames.

Especialmente en vivo.

Eran ruidosos, como todos, y cursis y melodramáticos también, como todos.

De cuando en cuando les pedía canciones de Los Apson pero ellos sólo se burlaban de mí y decían que no se sabían ninguna.

Por lo demás, los chicos no daban problemas. Simplemente se pasaban el día haciendo su escándalo y bebiendo litros y litros y más litros de cerveza dietética, que era como agua debido a que realmente no tenía sabor, pero fuera de eso no se metían conmigo y me dejaban ser, mientras espiaba por la ventana hacia la casa de Telma.

20

Era una mañana húmeda y demasiado calurosa. El sol pegaba fuerte para el que se atrevía a salir a la calle. Pasó el camión del gas con su canción y detrás de él una pipa de agua.

Sin novedad en casa de Telma. Era sábado. Los chicos berreaban a todo pulmón: "¡Música ligera!", una y otra y otra vez, acompañando la frase con toscos guitarrazos eléctricos. Le imprimían tanta emoción al coro que parecía como si de verdad lo sintieran muy adentro.

O quizá era que simplemente sonaba bien para ellos. Por mi parte, yo no entendía de qué iba la letra.

"¡Música ligera!", berreaban.

Siempre ocurría lo mismo: en cuanto decidían terminar de una vez por todas con la tortuosa canción, todos se miraban entre sí, con aspecto cansado, agotados, sudorosos, y después uno de ellos les proponía a los demás: "¿Otra vez?"

El grupo asentía y seguía la mata dando.

"¡Música ligera!"

Yo no me podía concentrar con semejante escándalo, y recuerdo que me les quedaba viendo con mi peor mirada de asesino consumado, pero ellos ni en cuenta. Ellos no estaban en la misma bodega sucia que yo: se encontraban en un estadio de futbol frente a más de diez mil gentes alabándolos. Por eso no paraban de tocar. No querían que aquello terminara.

Regresé la mirada hacia la casa de Telma y ahí lo vi. El pick-up de don Florencio estacionándose en casa de Telma. Ella no lo dejó pasar, simplemente me señaló con la cabeza, como si me estuviera viendo, y los dos empezaron a caminar en mi dirección. Yo no supe qué hacer al principio. Me quedé atónito por unos segundos. Después me fui al balde del agua a echarme un poco en la cara y en los sobacos, me fajé la pistola, me peiné y me puse calcetines, porque andaba sin ellos.

Todo mientras los chicos seguían: "¡Música ligera!"

Se me quedaban viendo con cara de extrañados, eso que ni qué, corriendo como desesperado de un lado al otro, pero aun así ellos seguían dale que te doy: "¡Música ligera!"

Bajé la escalera y me quedé esperándolos junto a la cortina metálica cerrada.

—¿Qué está pasando? —pregunté.

—Silverio, don Florencio quiere decirte algo —habló Telma.

—¿Qué pasa?

—Morro, nomás vengo a decirte que *los batos aquellos* te quieren proponer un trato.

—¡¿Qué?!

—Te quieren pedir que ya no andes matando más gente, que nomás les digas dónde está el Mudo y que te asocies con ellos, para llevar la fiesta en paz.

Volteé a ver a Telma. Ella me veía también a mí, esbozando una sutil y malévola sonrisa.

21

Don Florencio se reía al verme batallando para sentarme en su camioneta con la pistola fajada a la cintura.

—¿Adónde lleva usted eso, muchacho? —rió.

—Lee muchas novelitas de vaqueros —le informó Telma.

—Así es.

—Deje eso, ándele; a donde va no la va a necesitar.

—No, así estoy bien.

—Se van a ofender.

—No hay problema.

—Es de día.

—Qué tiene.

Al llegar a la Ciudad Perdida don Florencio se tuvo que estacionar cerca de la cervecería. Ahí las calles son chicas. No cabía su camioneta.

Por todos lados se veía gente, los niños corriendo de arriba abajo, las señoras platicando en los abarrotes, los hombres tejiendo sus redes, y uno que otro señor sin trabajo también, nomás sentado en su mecedora, lo cual es muy normal allá.

El lugar de la cita consistía en tres casas muy humildes que por dentro eran una sola. En el interior había tres hombres esperándome. Junto a la puerta, a mi izquierda, se encontraba uno de ellos, el matón, un tipo enorme sujetando una uzi; a mi derecha, el consejero, mucho más bajito, y frente a mí, el señor que me había mandado llamar.

—Revísenlo —ordenó.

—Trae pistola.

—Preferiría quedármela, es por seguridad.

—Déjasela, Lamberto.

—Mi nombre es Casimiro —y me extendió su mano.

—Mucho gusto; Silverio —le dije.

—Ahora sí, dinos: ¿dónde está el Mudo?

—En Piedras Negras, con una tía que tiene allá.

—¿Por qué mataste a mi socio? ¿Me quieres matar a mí también?

—No.

—¿Quieres trabajar para nosotros?

Sentí la mano de Telma. Me abrazaba. Parecía una gatita inofensiva. Me suplicaba con la vista que aceptara.

—Está bien.

—Ocupo que te quebres a alguien.

—¿Qué gano yo?

—La liquidación de las deudas de tu tía.

22

El vehículo que me dieron para el trabajo era un Grand Marquis negro del 84, con asientos de tela color gris, arena de playa entre las costuras, y un paquete de pastillas Halls de hierbabuena sobre el tablero, junto a unos Marlboro rojos y unos lentes de aviador sin marca.

Revisé la guantera y encontré dos desarmadores, una factura de televisión por cable, un medidor de presión para las llantas y dos plumas viejas sin tinta. Casimiro me había mandado a liquidar a un antiguo socio que había decidido laborar por su cuenta. Decidí que lo iba a matar saliendo de su casa, antes de subirse a su camioneta del año.

Cuando me le acerqué lo suficiente como para darle el plomazo en la cara, el señor me lo explicó todo.

—Pérate ai, cabrón, ¿qué haces? —me preguntó, con sus manitas regordetas alzadas.

De su axila cayó un pequeño maletín de piel.

—No me mates, por favor, por lo que más quieras, ¡te lo suplico! —chillaba, con justa razón, mientras yo amartillaba el arma.

Comenzó a hablar. Me dijo: "yo no me quiero morir todavía". También me dijo que iba para el rumbo de La Cruz de Lota, junto con su esposa. "Iba a reclutar muchachas."

Me dijo que era muy buen negocio y que lo de los enervantes no era lo suyo. Lo había decidido así.

—Muchas muertes y mucho relajo.

Ahora se hallaba metido en un negocio igual de rentable, mucho más sencillo y por cuenta propia.

—¡Qué crees!, hay escasez de meseras en todo Tijuana, y también en Ciudad Juárez —fue lo que me dijo—. Las que mandaron hace mucho ya se regresaron forradas de billetes y no se quieren regresar. Otras ya están viejas. Hace falta la nueva generación. Debemos echar otra vez el negocio a andar. Falta promoción. ¡Ahí está la cosecha nomás para levantarla! ¡Nos está esperando!

Recordé aquella canción que escuché en la colonia 12 de Mayo.

La cosecha de mujeres.

Era verdad. Nunca se acaba.

—Están pidiendo muchas. Te dan hasta diez mil por cada una… Más si son güeritas… Podemos ser socios tú y yo, si me perdonas la vida. No te vas a arrepentir, mi hermano, te lo aseguro… Yo ya estoy muerto, si me perdonas la vida te lo pagaré bien… Se ve que eres un buen muchacho… Además, ocupamos mi esposa y yo a un hombre joven como tú, yo tengo puras hijas…

Yo tampoco quería tener nada que ver con enervantes. Acepté.

23

Anduvimos por las rancherías de todo Sinaloa, don Delfino, su esposa y yo. Reclutando mujeres. Don Delfino y su esposa conocían a mucha gente de por aquellos lugares. Antes de entrar al negocio de los barcos se habían dedicado a andar vendiendo quesos y leche bronca traída desde distintos pueblos de Sinaloa. Luego, en un viaje a Tijuana con varios kilos de cocaína en su carro, uno de sus clientes le sugirió a Delfino la idea de *las muchachas*.

"Traime unas de por allá."

Delfino de inmediato pensó en todas las madres solteras que conocía. Todas esas muchachitas de los ranchos que habían quedado embarazadas de algún narcotraficante de poca monta y que ahora no sabían qué hacer con el resultado.

Él les traería la solución.

No se durmió; ahí mismo buscó los contactos durante ese viaje de negocios.

—Pero que estén buenas —le habían dicho.

Si no estaban lo suficientemente guapas sólo era cuestión de pintarles el cabello de rubio. Todos estos trucos del negocio me los iba explicando Delfino durante el camino a las rancherías en su camioneta, mientras escuchábamos canciones de Lorenzo de Monteclaro.

"Primero hay que entrar a la casa de manera educada. De todos modos, no les vas a decir que te las quieres llevar a un prostíbulo. Tú dices *bar*... Llegando allá el señor te deposita el dinero. Así de fácil... Por eso Casimiro nos quiere matar, porque sabe que me está yendo bien con esto. Me tiene envidia."

La primera chica a la que me tocó reclutar tenía unos grandes ojos azules y también grandes pestañas. Delgada. Dieciocho años. Dos hijos. Cuerpo no muy espectacular.

Llevaba el cabello recogido hacia atrás en una cola que salía de su nuca, un vestido ligero de una sola pieza, un bebé en una mano y en la otra una bolsa con dos kilos de tortillas y un envase gigante de Coca-Cola.

Pasaba por la plazuela del pueblo de Tamazula.

Delfino y su esposa me dejaron que hiciera el trabajo yo solo.

—Muchacha —le llamé.

Primero me miró desconfiada, pero ya que le hablé con mucho tacto se relajó un poco.

Hice como Delfino me dijo: le expliqué que en la frontera la gente levanta el dinero con pala, de tanto y tan fácil. Que sólo hacía falta un par de años y muchas ganas de ahorrar para no tener que volver a trabajar por el resto de su vida.

Quizá después hasta le alcanzaría para pagarle una plaza en Petróleos Mexicanos a cada uno de sus hijos. Que preguntara si no era cierto. Simplemente se trataba de ser mesera en un bar. Servir botellas y, quizá, cuando mucho, un pellizcón de nalgas, muy a la larga.

Tijuana se hallaba corto de meseras, le explicaba. Un día simplemente desaparecieron con todo y el dinero que habían ganado y ahora tenían sus propios ranchos en Sinaloa.

La frontera ocupaba más meseras. Tantas como fuese posible. Había muchas mesas que servir.

Mañana saldría el primer cargamento.

A Yolanda le pareció buena la idea. Me dijo que estaba bien, con aquellos grandes ojos azules y aquellas pestañas que parecían plumas de pavo real.

Serías una excelente mesera, fue lo que le dije.

Asombrosamente, al padre de Yolanda también le pareció buena la idea.

Don Evaristo me lo explicó de la siguiente manera:

—Sí, yo le digo que se vaya. Fíjese, Yolanda tenía una hermana cinco años mayor que ella, Erica, que dios la tenga en su gloria. Se metió con un hombre casado. La esposa le mandó dos sicarios que los mataron juntos, porque el señor la quiso defender pero no pudo. A mi hija me la violaron también, antes de matarla. Luego mis dos hijos, Ricardo y Alan, fueron y la vengaron. Mataron a la mujer y a los dos tiradores, pero resultó que como la señora era prima del Canelito, éste puso un retén en la carretera y mis dos hijos ya no salieron vivos… Sí, por eso yo digo que es mejor que se la lleve.

24

Al día siguiente Yolanda salió rumbo a Tijuana con otras cuatro chicas, dos de ellas también rubias, en lo que sería nuestro primer embarque como socios.

Delfino y su esposa me felicitaron.

Aprendía rápido.

No nos daba por abusar de las chicas mientras las llevábamos a Tijuana. Lo nuestro era un negocio serio.

—Pero eso sí, escúchame bien, cabrón, nosotros vamos a hacer las cosas bien. Si llegando allá resulta que una de las muchachas nomás estaba buscando el raite y se va por su cuenta, ni modo. Es una inversión perdida. Qué se le va a hacer. Es el riesgo que se corre. Pero el dinero está bien. Vas a ver.

Durante el viaje Yolanda le hacía a don Delfino la misma pregunta una y otra vez:

—¿Cómo es Tijuana?

—Fea.

—¿Entonces para qué vamos?

—Eso ya lo sabes.

—¿Usted es casado? —me preguntaba ahora a mí, con aquellos ojos azules y grandotes, todavía exentos del cinismo que pronto llegarían a adquirir.

—Más o menos… Juntado.

—¿Tiene hijos?

—No.

—Yo quiero que el mío sea doctor. Nomás por eso voy… ¿A ti qué música te gusta?

Así empiezas.

Te comienzas encariñando con la muchacha y de ahí te sientes mal por ella. Por lo que le estás haciendo. Por lo que el destino le depara, aquí, allá, o en cualquier lado. Luego se te metía la loca idea de que quizá podrías hacer algo por ella.

Sí, cómo no.

25

Luego de varios viajes a Tijuana y uno a Ciudad Juárez apenas salí tablas para pagar las deudas de Telma. Llegué y toqué a la casa de Casimiro con mi pistola fajada y los veinte mil pesos completitos.

—Ahora sí, ya no les debemos nada. Déjenos en paz a Telma y a mí. Si no, voy a volver a quebrar al cabrón que encuentre encima de ella. Entiendan que está enferma.

Casimiro no supo ni qué decir. Lo vi con ganas de reírse de mí, pero como que se lo pensó mejor. Seguramente supuso que era un loco enamorado, lo cual era cierto. Había aprendido a vivir con ello. Estaba dispuesto a hacer todo por Telma. Mataría a todo aquel que se le acercase para hacerle bien o mal. Ella debía ser sólo para mí. Responder sólo a mí.

Entregué el dinero y me fui de ese lugar. Casi los podía escuchar carcajearse de mí a mis espaldas, diciendo que cómo podía ser yo tan estúpido.

No le di importancia.

Tan pronto llegué con Telma me enteré de que ahora debía un poco más. Al parecer le debía a una señora de por la casa. No era gran cosa.

—Cariño, es que no lo puedo controlar —me explicaba—. Es que me da comezón en las manos… ¿Qué tal si de ahora en adelante nomás me das para ir a las maquinitas? Para así poder irlo dejando poco a poco. No de fregazo.

—Tú y yo vamos a salir juntos de esto, ya verás que sí. Te quiero.

—Sí, ya sé.

No recuerdo haberla escuchado decir "yo también".

26

Hubo una ocasión en que nos llevábamos a Telma con nosotros. Todo con tal de mantenerla cerca de mi vista y lejos de la ruleta y de las maquinitas. Era en el tiempo en que nos íbamos en dos vehículos distintos. En un carro Telma y yo y en el otro don Delfino y su esposa.

Telma rápido entraba en confianza con las muchachas. En gran medida era una de ellas. Una apostadora. Era lo que me gustaba de Telma. Nunca se quejaba. Le tocaba una mala mano de cartas y asumía las consecuencias. Su vida era una mala mano de cartas de la que siempre buscaba reponerse.

Se pasaban el día apostando pesitos y chuleándose mutuamente el cabello y las uñas. Algunas de las muchachas traían verdaderos paisajes dibujados en uñas como de dos pulgadas, las cuales salían enroscadas de sus dedos.

Yo me preguntaba cómo le hacían para ir al baño.

A Telma le gustaba mucho la música de Jenny Rivera y a las chicas también, por eso no me dejaban poner mi música a mí. Cuando llegamos a Tijuana, Telma rápido se comenzó a interesar en el negocio. Hasta sacó su libretita y comenzó a anotar el nombre de cada uno de los congales que íbamos visitando, y las calles en las que éstos se hallaban ubicados también.

27

En octubre de ese año me topé con el Mudo trabajando de seguridad en la puerta de uno de los bares con los que tenía negocio. El Bucanero.

Era antes de las ocho de la noche. La acción todavía no comenzaba. No se sorprendió al verme. Simplemente se quedó ahí parado, con las manos juntas sobre su bragueta y una sonrisita malévola. Había algo de psicótico en él.

—¿Qué hubo? —le dije, aún sin salir de mi espanto—. ¿Qué haces aquí?

—Me le escapé a la gente que me enviaste.

—¿Que te envié?

—Les dijiste que me había ido a Piedras Negras con mi tía. Nomás te faltó darles mi dirección. Ellos no sabían lo de los náuticos. De eso no les dijiste nada. Tú nomás les dijiste que yo había matado a Humberto.

—¿Cómo?

—No te preocupes. Estas cosas pasan. Yo digo que borrón y cuenta nueva, nomás déjame ser tu socio en esto.

—Claro, nomás le pregunto a Delfino.

—¡Vámonos tú y yo!

—No puedo.

—Dile orita mismo.

Como era de esperarse, don Delfino dijo que no. Que para qué ocupábamos a otro, me dijo. Yo no sabía qué hacer.

—Lo siento —le dije—. No se puede.

—Está bien…

—No, pero yo te prometo…

—No, no. Está bien, no te preocupes; de todos modos te quería pedir otro favor.

—Dispara.

—Supongo que tienes clave.

—¿A qué te refieres?

—Con los federales.

—Ah, sí; don Delfino tiene.

—¿En cuántos carros se vienen?

—En dos. ¿Por qué?

—Ocupo que me lleves algo para allá. Nos vamos a ir mitad y mitad tú y yo.

—¿Qué es?

—Rifles de asalto. Semi. Me los van a traer del otro lado. Ya está todo apalabrado. Dos AK-47, una AR-15, dos pistolas treinta y ocho y una cuarenta y cuatro… Ah, y el parque.

—¿Todo esto para una guerrilla?

—Son para unos amigos de la *redonda*. Sólo ocupo alguien que me las lleve para allá. Yo no tengo clave. Tú sí tienes. Nomás te las llevas. No te van a parar.

—No sé. Necesito preguntarle.

—Yo conozco a ese viejo desde que era socio de don Casimiro. Es miedoso. Nomás te las llevas como si fuera tu equipaje.

Para mi mala suerte, en el mismo bar donde me encontré al Mudo fue donde acomodamos a Yolanda un par de meses antes. Por eso hice como que no la conocía. Para no acarrearle más problemas de los que ya le había traído.

Se me partía el corazón de ver aquella carita pecosa que antes fue tan suave, y ahora toda demacrada, con bolsas moradas debajo de sus ojos altaneros.

No podía voltear a verla sin que me doliera hasta el alma.

—Está bien. Yo me voy pasado mañana.

—Dame tu teléfono —me dijo el Mudo.

28

Al día siguiente el Mudo me habló para quedarnos de ver en un negocio de comida china cerca de por su casa, donde se efectuaría la entrega. Yo traía una camioneta Ram Charger color gris, también propiedad de don Delfino, la cual regresaría vacía.

Más que nada por eso accedí.

Y por las muchas que le debía al tipo. Por eso también.

Vi su pequeño Geo Metro color verde, me estacioné junto a él y me pidió que lo acompañara a comer. A mí casi no me gusta la comida china, por eso nomás agarré fruta.

—Silverio, ¿qué es lo que más te gusta de Telma? —me preguntó mientras se echaba a la boca un par de camarones con arroz y cebolla.

La pregunta me cayó como un balde de agua helada.

—¿De Telma?

—Así es.

—Pues… Su cabello, su cuerpo… También me gustan mucho sus pies… Cómo son cuadrados y toscos, llenos de callos, en lugar de ser blanditos y redonditos. Me gusta cómo se ven con su barniz rojo, ese que siempre trae… No es que sea fetichista de pies, ni nada de eso, es sólo que me gusta cómo se le ven a ella.

—Estás enfermo.

—No, para nada.

El Mudo siguió atrancándose de comida.

—Ahora sí, vámonos.

—Yo te sigo.

Eran dos casitas de bloques color marrón que parecían una sola.

Ilusión óptica.

El vecino de la casita de enseguida se entretenía viendo el futbol, al igual que todos los demás vecinos. El Mudo se metió a una de las dos casitas y al rato salió con dos estuches de lona en cada mano, de esos que usan para guardar las guitarras eléctricas.

Luego fue por más.

Colocamos todo en la cajuela y me dio las direcciones, los nombres, los apodos y los teléfonos de los compradores, así como el número de su cuenta de banco.

Me dijo que creía en mí. Que no tenía miedo de que no le fuera a mandar su dinero y que yo era un *buen perro*.

—Tú eres buen perro —me dijo.

29

Salimos de madrugada, con los vientos de Santa Ana golpeándonos la espalda. Desde la carretera a Tecate veíamos la ciudad de Tijuana teñida de rojo, mientras era azotada por vientos calientes, secos y cargados de tierra.

Por dios, en qué lugar tan feo habíamos dejado a esas pobres muchachas.

Siempre terminaba pensando lo mismo en el camino de vuelta.

Me hacía sentir mal.

Maldito dinero.

30

Siempre he soñado con ser escritor. Decidí que Guaymas sería el lugar al que me retiraría a redactar mis memorias. Me gustaba aquel contraste que resultaba del choque del desierto con el mar. Posiblemente compraría una de esas casas rodantes y me instalaría junto a la bola de gringos que hay ahí, o quizá construiría un búngalo con mis propias manos y sin ayuda de nadie.

Escribiría a máquina, cuando mucho eléctrica... Cuando mucho... No creí que hubiese problema con ello. Lo que sucede es que con las computadoras no me hallo.

Decoraría mi estudio con artesanías de la región y con cactus. También pondría una cabeza de venado en una de las paredes de la sala y en la pared opuesta una piel de gato silvestre. Los muebles serían rústicos.

En el librero mi colección de Carrigan y Silver Kane, en el tocadiscos música de tríos, en el refrigerador puras cervezas de cuartito, y, afuera, cruzando la puerta de mosquitero, Telma, luciendo hermosa con su cabello rojo ondulado, rodeada de palmeras, iguanas y cactus, preparándome un pescado en el disco.

Yo, por mi parte, sentado frente a la máquina de escribir, *creando*, con un habano en una mano y un cuartito bien frío en la otra.

La buena vida.

Fue mientras paramos para echarnos un taco don Delfino y yo que decidí todo esto.

Para eso trabajaba.

31

En el retén militar de El Desengaño me ocurrió precisamente eso. Fue donde me enteré por fin de la traición orquestada por el Mudo.

Lo supe en cuanto pasamos el convoy militar que nos esperaba un par de kilómetros antes del retén para bloquearnos la retirada. Lo pude ver todo tan claro. Podía ver incluso cómo encajaba Telma en todo aquello. La recordé anotando las direcciones de los bares en su libretita. Me dejó de extrañar el haberme encontrado al Mudo trabajando de seguridad precisamente en uno de esos congales.

¿Cómo pude haber sido tan estúpido?

El carril hacia el sur regularmente es el menos aprovisionado, pero en este caso los militares habían reunido todas sus fuerzas en ese sentido. No teníamos escapatoria. Dejaron pasar sin revisión a todos los carros que teníamos delante de nosotros. A Delfino lo hicieron que se orillara a punta de AR-15. Conmigo fueron un poco menos sutiles. Me vi rodeado de un enjambre de chaparritos vestidos de verde con sendas metralletas en la mano.

En el periódico aparecimos como secuestradores y traficantes de armas. Sale nuestra foto y abajo dice que somos parte de una peligrosa banda de secuestradores y que traficábamos artillería pesada desde California. En mi declaración aparece que aquello era mi equipo de cacería.

"Es con lo que mi compadre y yo vamos a venadear", salgo diciendo.

En el titular de otro periódico regional se leía lo siguiente: "Salía a cazar venados con granadas de mano y bazucas".

Supongo que mis comentarios les han de haber causado bastante gracia.

32

—Yo maduré bien pronto; a los trece ya tenía mi primer hijo… de mi prima —fue lo que me dijo el Luz Clarita, el interno de la carraca de enseguida—. Sólo que no me alcanzaba y por eso comencé bajando carros… Yo no andaba batallando. Nomás traía seis llaves. Dos de Nissan, dos de Toyota y dos de Honda. Ya la alarma la desactivaba como sea, y el cortacorriente. Les vendía el motor y la transmisión a los taxistas. Los catalizadores los sacaba por otra parte.

—¿Cuándo sales?

—Dos años más. ¿Y tú?

—Cinco.

En el comedor nos sentamos con el Maussan, un señor ya mayor, acusado de haber asesinado de un balazo en el corazón al adolescente que le grafiteaba cada semana la barda de su casa; con el Rigo, el anciano jalisciense culpado de haber mutilado con un machete a su esposa luego de que ésta le escondiera la botella, y con el Ogro, otro señor sentenciado también por asesinato.

"Me llega mi hija llorando que porque había un video de ella en el internet… ¿Pues qué haces?"

Todos le volvieron a dar la razón al Ogro.

—¿Qué te dijeron? —me preguntó Maussan.

—Que nos iban a quitar los cargos de secuestro; a mí nomás me va a quedar lo del tráfico de armas. Para mi compadre fue la pura fianza —le dije.

—Por cierto, casi se me olvida: ayer que fui a lavar me preguntaron por ti —me informó el preso con polio al que le decían Luz Clarita.

—No le hago.

—No, no es para eso. Me preguntaron aquellos dos —dijo, señalándome a dos vaqueros parados con su charola en busca de mesa—. Uno de ellos me dijo que quería hablar contigo. El Cheque, el más alto. Que te vieras con él por la tarde, en el patio.

—¿Para qué me quiere?

—No sé. Nomás quería saber cómo eras. Le dije que eras tranquilo.

A los dos vaqueros los conocía de vista. Eran residentes de las *suites*, las carracas del ala norte, con sus cantinas, sus reproductores de DVD, sus pantallas de cristal líquido y sus prostitutas colombianas a domicilio.

33

Y ahora voy a decir esto: no me gustan los hombres, por tanto no soy homosexual, pero este cabrón sí que era bien parecido. Es lo que puedo decir de él.

Alto, atlético, ojo azul, nariz aguileña y, encima de todo, bien educado.

Me paré junto a él, frente a las canchas.

El suelo se hallaba húmedo. Había lloviznado un par de horas antes. Nadie jugaba básquetbol en esos momentos.

—¿Querías verme?

—Supe lo que te pasó.

—Sí, lo de las armas; no eran mías.

—No, lo de tu amigo que te traicionó y te bajó a tu mujer.

—No te preocupes, no soy rencoroso.

—¿Conoces al Canelito?

—¿Trabajas para él?

—Le hago trabajos. ¿Lo conoces?

—De oídas.

—¿Pero sabes cómo es físicamente?

—No, ¿cómo es?

—Podrás observar su cara cuando te plantes frente a un espejo.

—¿Y eso qué?

—Eso podría beneficiarte, pero tendrías que batear de sacrificio.

—¿A qué te refieres?

—No puedo contarte más, a menos que estés preparado para morir en caso de que se te ocurra contarle a alguien lo que estás a punto de escuchar.

—Adelante.

34

Brandon Peralta, alias *el Canelito*, uno de los capos más jóvenes y sanguinarios del cártel de Sinaloa en aquellos años, había heredado el control de los gomeros de su zona de parte de su abuelo materno, don Agustín Zamora, asesinado por el papá del Canelito, un maleante conocido con el apodo del *Malasuerte*, quien al parecer ejecutó a toda la familia del muchacho, incluyendo a la mamá, doña Sandina Zamora.

La historia es un verdadero enredo.

Años después, el Canelito intentaría asesinar a su padre biológico de un balazo en el pecho, del cual logró sobrevivir, gracias a la atención brindada por el propio Canelito.

Sí, bonita familia.

Era por todo ello que el Canelito figuraba como un personaje mítico dentro de la élite de mafiosos sinaloenses de por aquellos años.

Lo que yo aún no entendía era lo que podía tener que ver con él.

Ezequiel me lo explicó a su manera:

—Te pareces un chingo.

—¿Y eso qué?

—El Canelito se quiere retirar por un tiempo.

—¿Cómo?

—La vio muy cerca.

—No entiendo. ¿A qué te refieres?

—En agosto del año pasado invitaron al Canelito a una tregua en Rosarito. Yo le dije que no fuera pero él insistió, más que nada porque le dijeron que iba a haber un montón de muchachas. Total que llegamos al hotel y ahí estaban esperándonos, todos vestidos con ropa de playa y bien bronceados. Dijeron que nos volveríamos a ver por la tarde. Que ellos iban a llevar las muchachas. Le preguntaron que cómo las quería. El Canelito les dijo que con que no estuvieran ni muy dientonas ni muy altas por él estaba bien, que porque no le gustaban así. Total que como a las nueve y media de la noche nos llegó un cargamento de viejas carteristas del Pulgón. Parecían termitas, echándose todo lo que veían a la bolsa. Desde ahí la cosa me comenzó a oler medio mal, o será que yo me tengo que fijar siempre en todas estas cosas… El caso es que como a la hora volvieron a tocar al cuarto. Dos hombres con gabardina, ¿te imaginas? Se presentaron como invitados a la fiesta, parientes de no sé quién… Rápido cerré la puerta y le dije al Canelito que se dejara caer por el balcón. Todavía no le decía esto cuando explotó el primer escopetazo en la puerta. Lo bueno que ya estaba preparado y comencé a disparar desde el suelo. Las viejas, un griterío, pero se seguían echando chingaderas a la bolsa. Ahí se me perdió el reloj que me regaló mi vieja, porque lo había dejado en una de las maletas… El caso es que cuando salí al pasillo el otro ya no estaba. El Canelito se lo topó abajo y lo alcanzó a matar primero… Desde ahí me dijo que se quería salir por un tiempo… La sintió muy cerca.

—¿Pero dónde entro yo en todo esto? —le pregunté.

—El truco consiste en que tú tomas el lugar del Canelito y él se pasa a retirar, en lo que recupera energías…

—Dirás que soy muy ventajoso, pero por alguna razón tu trato no me termina de convencer.

—Pero cómo…

—Sí, ya ves lo que dicen de cuando algo suena demasiado bello como para ser verdad.

—Te vamos a dar tiempo para que lo pienses mejor.

—Muchas gracias.

—Piénsalo; pero eso sí, ni una palabra de esto a nadie. Aquí les aplicamos el torniquete en el buche a los que hablan de más.

35

La prisión es otro mundo, o al menos ésa es la primera impresión que te llevas cuando entras, aunque ya después te acostumbras a ver tanto descaro.

O quizá es el mismo mundo pero la gente ahí es más sincera. Más sinceramente mala, más sinceramente corrupta y más sinceramente controladora.

Porque afuera también es una prisión, pero adentro uno puede ver los barrotes, es como si fuera el mismo mundo pero de manera más cruda. Sin rodeos. La naturaleza humana vista tal cual. Unos queriéndolo controlar todo, otros obedeciendo y otros nomás buscando la manera de dejar de obedecer, y en el primer descuido te chingan todos juntos.

Al principio me asusté mucho, luego me hice de amistades y se me hizo más fácil aguantarlo. Ya después tomé conciencia de la lentitud del tiempo y de lo que el paso de éste hace en tu cerebro.

Por eso siempre me asombraba de los malnacidos que habían metido ahí por andar secuestrando sin permiso, porque todavía les faltaban muchas décadas para salir libres, pero ellos siempre me decían lo mismo: "Tengo más tiempo que vida".

Eso es algo que nunca he entendido.

La expresión.

Sinceramente no sé qué significa, pero siempre me ha dado vergüenza preguntar porque pienso que ha de ser algo como que muy obvio y a la vez profundo, y quizá si pregunto lo que significa me pueda ver como una persona muy poco profunda.

¿"Tengo más tiempo que vida"? ¿Qué demonios quiere decir eso? ¿Cómo puedes tener más tiempo que vida? El tiempo y la vida, ¿qué no van juntos? ¿Qué no se te acaba lo uno y por fuerza se te acaba lo otro también?

Al final yo también terminé usando la dichosa frase a cada rato.

Por ejemplo, si me preguntaban: "¿Cuánto te dieron?", y yo les decía: "Cinco años", y veía que ellos se admiraban, entonces de inmediato les decía: "No me preocupo: tengo más tiempo que vida", haciendo como que en verdad no me importaba estar en ese lugar.

Sentía que sonaba muy profundo diciéndolo.

Había otra expresión que tampoco llegué a entender nunca: "Vida, nada te debo".

Ésa la decía mucho don Rigo, el asesino de su esposa.

Tampoco la entendía.

En todo caso se me hacía más lógico decir: "Vida, nada me debes", aunque en ninguno de nosotros se aplicaba decirlo, debido a que no éramos más que una bola de criminales de poca monta y sinceramente no nos quedaba andar diciendo ese tipo de cosas.

36

Querida Te,

Sólo quiero que sepas que nadie te ha querido como yo y siento que me estalla el corazón cuando recuerdo el día en que toqué a tu puerta y el destino unió nuestros caminos hasta la eternidad, donde nos volveremos a ver, de eso estoy seguro.

No te mortifiques por tu traición; comprendo muy bien que eres un ser humano, con tus defectos y virtudes, al igual que yo. Dile al Mudo que también lo perdono. Así son estas cosas...

Todos en la prisión me insultan y se burlan de mí cuando digo que todavía te quiero y que no te guardo el más mínimo rencor, pero no me importa. Ellos no saben lo que hubo entre nosotros... Lo especial que fue...

Telma, yo tenía muchos planes para ambos. Pensaba construir una casita de playa en Guaymas; ¿cómo te hubiera caído eso? Ahí yo me dedicaría a escribir y tú me cocinarías pescado todos los días, como cuando fui a tu casa aquella vez y vi que le preparabas uno bien rico a Humberto, que descanse en paz.

A él creo que ya no lo vamos a volver a ver porque seguramente se encontrará registrado en el cielo y nosotros nos vamos a ir para otro lado, más para abajo, ¿no crees?

De cualquier modo, el castigo más doloroso me sabrá a gloria siempre y cuando esté a tu lado. Yo digo que no debes preocuparte tú tampoco, ya que si llegara a suceder que termináramos en el lugar a donde envían a los pecadores, el castigo que te quisieran aplicar a ti yo pediría que sea aplicado sobre mí dos veces, con tal de que no sufras, mi amor, porque si intentan tocarte tan siquiera uno solo de tus cabellos rojos, juro que el infierno será para ellos.

Bueno, creo que, como siempre, exageré un poco, pero el caso es que sólo te quería decir que nadie te ha querido ni te querrá nunca como yo.

Por siempre tuyo,

Silverio

37

Le preguntaba a don Ogro si le parecía justo que gente bien educada como nosotros nos pudiéramos ir al infierno a quemarnos para siempre en su hoguera por haber cometido un crimen en nombre de los dos valores más nobles del género humano: la justicia y el amor. Él por justicia había asesinado al patán que grabó a su hija, mientras que yo alguna vez llegué a matar por amor.

—Le pregunto, don Ogro, ¿usted cree?

Don Ogro se limitó a soltar un gruñido.

Al parecer a don Ogro lo tenían sin cuidado cuestiones tan trascendentales como el cielo o el infierno. Lo que sí le importaba, al igual que al resto de los reos sentados en el comedor, era la pelea del Terrible contra el Filipino, la cual estaban dando por la tele en esos momentos.

—¿Cómo la ves…? Ese pobre Terrible ya no tiene nada. Lo que debería hacer es pelear unas tres peleas más y comenzar a buscar un terreno. Es lo que debe hacer. Agarrar su carrito y buscar un buen terreno. ¿O no? Un local en una plaza comercial que sepas que va a funcionar, por ejemplo. Porque las joyas bajan de precio, los carros bajan de precio; en cambio los terrenos, ésos suben. Eso es lo que yo haría. Te voy a dar un ejemplo. El que me vendió estos lentes era un amigo de la familia; tenía tres ópticas, y poco a poco se fue comprando terrenos aquí y allá. Ahora el señor se murió pero la mujer se quedó con una casa de dos pisos, un local en una plaza comercial y dos terrenos en Culiacán… Y la doña, a gusto. El problema son las hijas. Una de ellas se enamoró de un colombiano y la muchacha se fue siguiéndolo hasta allá. La doña ya no supo nada de ella, y yo le digo: "váyala a buscar"; "es que está muy lejos", me dice, y yo le digo: "ay, madre; imagínese que le hubieran pedido poblar Australia; esa gente viajaba por meses, iban de punta a punta del planeta en barco, y usted por cinco horas en avión anda llorando". ¿Y qué crees que me dijo? "¡En avión!", me dice; "¡está muy caro!" Pinche vieja tacaña. Si te digo, entre más dinero más tacaños; por eso la dejaron sus hijas… Sí, el pobre Terrible ya no tiene nada.

38

Al terminar las peleas, la televisada y la influenciada por ésta, llevada a cabo de manera campal entre chinolas y michoacanos, llegué a mi penthouse y me encontré con el Paquete sobre la cama.

El bulto amorfo, de unos treinta centímetros en su lado más largo, iba forrado de varias capas de bolsas de supermercado amarradas con cinta adhesiva color marrón. Dentro podía sentirse un segundo envoltorio de papel, y más adentro, un núcleo de superficie blanda y húmeda.

Temí lo peor.

Acerté.

Dentro de la capa de papel periódico me topé con una maraña de cabellos rojos y, por debajo de éstos, el pie derecho de Telma, con todo y su barniz del mismo color, rebanado de tajo unos cinco centímetros por encima de su tobillo.

Era el piecito tosco y cuadrado de Telma. No cabía duda. Lo conocía muy bien. El Mudo sabía que lo conocía de memoria.

"¡Guardias! ¡Guardias!", no paré de chillar.

Sobre una de las hojas de papel que servían de envoltorio venía escrito, con barniz de uñas, un mensaje firmado por el Mudo que de tan vulgar he decidido no reproducirlo aquí.

Éste sería su equivalente en la lengua de Cervantes:

Rayo, te mando un pequeño recuerdo de esta sexoservidora traicionera.

Ya no me sirve.

Atte.
El Mudo

39

"Mi Telma, amorcito, cómo te pudo haber pasado una cosa tan horrorosa. Habría preferido mil veces que me lo hicieran a mí. Tú no te lo merecías. No importa lo que hayas hecho. Amor, imaginarte sufriendo me resulta insoportable. El que te lo hizo, va a pagarlo muy caro", deliraba en el sanatorio, acostado con fiebre y vigilado día, tarde y noche.

Al salir no pude encontrar al Cheque por ningún lado. Los guardias de su ala me dijeron que estaba en el sanatorio; sin embargo, lo que se oía por todos lados era que se había ido a las carreras de la Baja Mil con su novia y que regresaba el martes.

—Pero necesito hablar con él cuanto antes.

—No te preocupes, viejo; tenemos más tiempo que vida —me dijo el Luz Clarita.

Y pensar que de no haber sido por los highlanders yo todavía estaría vendiendo accesorios para celular, o de no haberme regresado a tocar otra vez en casa de Telma estaría en estos momentos bien casado con Cheli.

¿No les parece curioso cómo una pequeña acción puede llegar a detonar todo un universo de acontecimientos?

Antes no pensaba tanto en ese tipo de cosas. Fue hasta que me metí con los highlanders que se me nubló la mente, luego de tanto estar viendo todos esos folletos de los morenos y los chinos conviviendo felices en sus picnic junto a las cascadas y los leones juguetones.

Ahora no puedo dejar de pensar en el cielo y el infierno y en la salvación de las almas. Yo quiero estar en ese picnic. Junto a Telma.

40

Ezequiel regresó todo bronceado la siguiente semana. Fui a verlo a su carraca. De milagro me dejaron pasar; supongo que él les habría dicho que lo hicieran en caso de que me dejara ver por ahí.

Me ofreció una copa de Buchanan's, la cual acepté. De ahí puso el canal de las pornos.

—Supe lo que te pasó. Lo siento.

—Quiero hacerlo. Me interesa tu trato.

—Lo siento otra vez, hermano, pero ya es demasiado tarde. No te decidiste rápido.

—¿Qué?

—Como lo oyes. Yo qué más quisiera que ayudarte, pero al último momento se decidió abortar la misión… Quizá si te hubieras animado más rápido… Aun así, te aseguro que tienes nuestra amistad; cualquier cosa que ocupes no dudes en pedírnosla. Los guardias te dejarán pasar… ¿Estás bien?

—… Sí.

Salí más confundido que nunca.

No podía creer que el mal triunfara en este mundo de manera tan avasalladora.

Como dicen, al que obra mal bien le va.

Los malos hacen lo que quieren allá afuera, mientras que a uno no le queda de otra más que quedarse encerrado en su celda a estar recibiendo partes del cuerpo de la mujer que más ha amado. ¿Y todo por qué? Todo por individuos como Ezequiel, que se creen invencibles y que creen que cualquier cosa es posible tan sólo con el chasquido de sus dedos.

"Hey, tú, toma el lugar de mi jefe porque se quiere retirar por unos días."

"No, mejor siempre no."

"Hey, guardia, ábreme que me tengo que ir rápido a las carreras de la Baja Mil con mi novia, y ten cuidado con andar tocando mi whisky y mis películas pornográficas."

Tenía razón don Isaac: este mundo se va a acabar bien pronto. Está demasiado corrupto por seres como Ezequiel y el Mudo.

Ya no hay valores.

Le comencé a agarrar ojeriza a Ezequiel desde aquel momento.

Lo volví el blanco de mi ira.

Si no podía desquitarme en contra del Mudo por estar fuera de mi alcance, al menos aquí tendría a alguien a quien culpar por mis frustraciones.

Sería una buena causa. Una buena causa por la cual morir. Liberar al mundo de un indeseable más, que piensa que puede andar haciendo lo que se le dé su gana sin que nadie le diga nada.

Sólo había que esperar el momento propicio y listo.

Luego la escuché.

La conversación.

Fue al día siguiente. En los lavaderos. Dos michoacanos hablando de lo mal que les caían los chinolas, especialmente Ezequiel de entre todos ellos, con lo cual yo coincidía al cien por ciento.

Decían de él que era un engreído por andarse saliendo del Cereso cuando se le daba su gana y por tener todos esos privilegios en su carraca que nadie más tenía, y por su caminado de altanero.

Obvio, todo esto expresado con un lenguaje barriobajero, pero ya saben ustedes mi postura con respecto a las palabras altisonantes.

Inmediatamente después fui testigo de cómo uno le pasaba el fierro al otro mientras quedaban de acuerdo en hacer el trabajo al día siguiente, a la hora de la comida.

No sería necesario hacer nada más que mirar.

41

Como ya dije, no me pensaba perder aquello por nada del mundo.

Así que ahí estaba yo, haciendo fila para comer, detrás de los michoacanos asesinos, quienes esperaban que se levantara Ezequiel de su mesa para atacarlo, cuando, no sé qué mosca me picó, pero el caso es que justo cuando Ezequiel pasó a mi lado y los dos michoacanos comenzaron a desenfundar sus armas, yo brinqué encima de ellos, soltando puñetazos a diestra y siniestra.

Lo juro.

Parecía un perro rabioso.

Hicieron falta cinco hombres para inmovilizarme.

Los michoacanos tenían la cabeza roja de tantos puñetazos. Se les veía aterrados.

Yo mientras tanto bufaba de rabia. La verdad no sé ni por qué.

Como ya lo he dicho, no sé qué mosca me picó.

Lo que sucede es que a veces siento mucho rencor contenido, ¿me entienden? Digo, por la mala mano de cartas que me tocó y todo eso…

El caso es que cuando los guardias por fin lograron controlar la situación, los michoacanos les explicaron que lo único que habían hecho mal fue haber apostado a que el Terrible ganaría en la pelea del sábado antepasado. Que lo único que pensaban hacerle a Ezequiel cuando pasó por su lado era pagarle los quinientos pesos que le debía cada uno; eso era todo.

Lo peor del caso fue cuando Ezequiel mismo corroboró su versión.

Lo hubiera desollado ahí mismo con mis propias manos de no haber sido por las esposas que me lo impedían.

42

Para mi mayor asombro, aquella trifulca no hizo que me enviaran a aislamiento, sino que me regresaron directo a mi celda.

Eso sí, sin comer.

Por la noche recibí la visita de uno de los guardias.

Me dijo que el director del penal quería verme.

Me escoltaron al patio.

—¿Y ahora qué? —pregunté.

—Ya verás.

Y ahí estaba Ezequiel, iluminado por la luz de la lámpara, fumándose un puro.

Cuando llegué me dio la mano.

Los grillos pararon de cantar.

—Pasaste la prueba —me dijo.

—¿Cómo me van a sacar de aquí?

—Vas a salir por la puerta grande, vestido de turista, el día de las visitas. No te preocupes por eso.

43

Ramiro, el primo de Ezequiel, un muchacho también de buena presencia y astuto, me llevó al Vaquero Norteño a comprarme ropa. Yo no le dije que me llevara ahí porque casi no manejo el estilo vaquero, él solito me llevó; pero como vi que vendían ropa bonita, de todos modos agarré tres camisas de algodón, dos de seda, unos Wrangler, dos cintos de cuero (porque casi no uso los piteados) y unas botas de armadillo, además de calcetines y calzones.

Una vez presentable, accedí a entrevistarme por la noche con el Canelito.

Subí hasta la suite presidencial escoltado por dos de sus guaruras. Ramiro se quedó abajo esperando.

Ingresaron el código y la puerta se abrió por sí sola.

De la oscuridad emergió una figura enjuta caminando con la ayuda de un bastón. Pude ver a lo que se refería Ezequiel con respecto al parecido de mi rostro con el del Canelito. Debajo de sus arrugas se podía distinguir una lejana similitud de características: misma separación y tipo de ojos, misma nariz, misma boca, mismo tipo de piel.

Ezequiel, sin embargo, se olvidó de mencionar la abismal diferencia que existía en el porte, ya que mientras yo soy un hombre de excelente constitución física, la persona que tenía delante de mí no era más que un guiñapo, con perdón de la palabra.

Nadie se hubiera tragado el cuento de que éramos de la misma edad.

—Así que tú eres Silverio. Mucho gusto; Brandon.

—El gusto es mío, señor.

—No me digas señor, tengo entendido que somos de la edad.

—Sí, eso me han dicho.

—¿Lo dudas?

—No, para nada.

—¿De dónde eres, Silverio?

—De aquí.

—Aquí nadie te conoce. ¿Quiénes son tus amigos?

—No tengo amigos, no los necesito.

—Todo mundo necesita un amigo.

—Yo no.

—¿Quiénes son tus padres? ¿A qué se dedican?

—Mi mamá se llamaba Estela. Falleció —no quise dar más detalles; ¿para qué? ¿A él qué le importaba saber de mi familia?

—Lo siento mucho.

—No tiene por qué.

—Me dijeron que has aceptado el trato.

—Así es.

—¿Qué piensas?

—Será un honor.

—Podrás hacer lo que quieras con mi vida en lo que me recupero; pero eso sí, te voy a pedir un favor antes que nada.

—Lo que sea.

—Ocupo que cuando hayas tomado finalmente mi cargo vayas con mi padre a Tijuana y le pidas perdón por haberle disparado… No quiero que me vea de esta manera…

—No se preocupe.

—Cuidado con hacer de ello una farsa porque te mando degollar.

—Es bueno saberlo… ¿Puedo hacerle una pregunta?

—¿Qué pasa?

—¿Se encuentra usted enfermo?

—Eso a ti qué te importa.

44

Nos quedamos en Mazatlán un día más, en el mismo hotel, para mi mala suerte. Digo esto porque cuando estábamos a punto de salir en busca del Mudo me topé con un antiguo conocido, un compañero de la secundaria que me comenzó a saludar efusivamente, como si estuviera encantado de verme.

—¡Te pierdes! —me gritó, y luego me abrazó—. ¡Tengo un chingo que no te veo, cabrón! —y me volvió a abrazar.

Luego el sujeto aquel les dijo a los otros tres borrachos que lo acompañaban que él me quería mucho y que me había sacado de no sé cuántos líos en la escuela, y no sé qué sandeces más.

Luego me pidió que lo acompañara a beber mucha cerveza a una discoteca ubicada detrás del hotel en el que nos habíamos hospedado, dizque para recordar los viejos tiempos, lo cual inmediatamente tomé como un insulto.

Yo no pertenecía a su mundo.

No podía rebajarme.

—Por favor, no seas igualado —le pedí.

Luego el borracho aquel dijo con sus palabras que me había vuelto muy pedante y se largó por fin junto a sus amigos, tambaleándose.

45

No encontramos al Mudo por ningún lado. Nadie nos pudo dar referencias de él.

Descubrimos que don Delfino había retornado al negocio de los quesos.

Él tampoco sabía nada.

—¿Y ahora qué? —me preguntó Ramiro.

—Vámonos a las rancherías.

En la carretera a Culiacán le pregunté a Ramiro por el Canelito.

Primero le pregunté si lo conocía y de ahí le pregunté que cómo era. Me contestó que sí lo conocía y luego me dijo que al principio, cuando era todavía muy joven, antes de que le disparara a su propio padre, el Canelito solía ser muy prepotente. Al parecer mandó asesinar a muchas personas en aquellos años, los mataba por nada, incluso a sus propios ayudantes, al modo de su madre, quien también era así y lo educó de esa manera.

Inmediatamente después del atentado en contra de Tomás Peralta, el carácter se le apaciguó de manera notable; supuestamente ése fue el hecho que cambió su vida para siempre. Se dice que el Malasuerte había venido desde Tijuana a hacer las paces con su hijo y que se regresó muy resignado con el pecho agujereado. Fue eso lo que puso al Canelito a pensar por primera vez en su vida.

—Sin embargo, para ese entonces ya había sido demasiado tarde —terminó diciendo Ramiro, casi para sí.

—¿Por qué lo dices? —pregunté después.

—No, por nada —disimuló Ramiro.

Sobra decir que no quedé muy conforme con su respuesta.

46

Tamazula se hallaba prácticamente convertido en un pueblo fantasma. Habían pasado siete años desde que saqué a Yolanda de ahí.

El mercado cerrado, la plazuela descuidada, las calles sucias, los perros con roña. Tierra por todos lados. La gente se miraba insana, especialmente las dos señoras que abordé mientras pasaban por mi lado de la acera.

—Buenas tardes. Disculpen, andamos buscando a una persona que vino del puerto. Ha de haber traído una camioneta. Vino por unas muchachas, alto él, moreno; ¿no lo habrán visto?

—¡Tú! —gritó una de ellas—. ¡Tú te llevaste a mi hija! ¡Tú la convertiste en el demonio que se hizo!

No hallaba cómo hacer callar a la señora.

Luego volteé a ver a Ramiro y él también estaba pálido.

Ramiro conocía a detalle la historia de cómo había comenzado la desgracia de aquel pueblo.

47

Don Antonio Zambrano era dueño de una finca en Tamazula. La finca constaba de ochenta y cinco hectáreas, treinta de pasto y el resto de labor, con un establo en el medio, un tractor, siete yeguas de cría, un par de caballos pura sangre, cinco broncos, tres novillos, un semental y veintisiete reses.

Su esposa, Marisol Zambrano, doce años menor que él, había sido electa Señorita Tamazula en el 86, hecho que la volvería aún más insoportable de lo que ya era.

Marisol Zambrano acostumbraba hablar de la siguiente manera, cada que se sentía amenazada por alguien, o por algo: "Yo sé lo que valgo, porque me he realizado como profesionista, como esposa y como madre".

Marisol Zambrano había egresado de la pequeña Universidad Católica de Culiacán como licenciada en administración de empresas turísticas. Decía que su título le ayudaba a administrar las propiedades de su marido.

"De no ser por mí, todo lo que tiene mi Toño ya lo hubiera perdido hace muuucho pero muuucho tiempo", llegaba a decir, orgullosa de sí misma y con un arrogante acento norteño.

El día que le llegó el primer rumor acerca de las infidelidades de su marido por cuenta de su propia madre, doña Josefina, Marisol Zambrano cayó presa de un ataque de nervios.

Todo su mundo se le había venido abajo.

—Hija, respira… Agarra aire… No te preocupes, es normal, eso nos pasa a todas, mi amor… Recuérdalo, las otras son sus capillitas; tú eres y serás por siempre su catedral —le comentaba su madre, intentando consolarla, mientras echaba aire a la cara de su hija con un pedazo de cartón, luego de ver a Marisol desplomarse sobre el sillón de la sala, completamente pálida.

—Pero si todo el día hago ejercicio, me conservo mucho mejor que la mayoría de las mujeres de mi edad… —decía con la mirada puesta en el infinito, como si alguien la tuviera bajo hipnosis—. Sinceramente no sé qué hice mal, mamá. Me superé, me realicé como profesionista, como madre y como esposa. Le crié a sus dos hijas con muy buenos valores, y aun así me traiciona… —esto último lo dijo justo antes de romper en llanto.

—Hija, cálmate… Pronto todo esto se arreglará entre ustedes. Por lo pronto tú dedícate a tus hijas, que son la cosa más importante en tu vida en estos momentos.

—No… pero si apenas ahora todo cobra sentido… —exclamó, esta vez con una mirada psicótica en la cara.

—Hija, ¿de qué hablas?

—Todo este tiempo…

—Hija, me asustas.

—Todo este tiempo… Y yo…

—¿De qué hablas?…

—Voy a matar a esa puta.

48

—Mi vida, ¿qué tienes? ¿Qué te pasa? Te noto distante —le preguntó su esposo esa misma noche.

—¿Aparte de que nunca me tocas? —le espetó ella, con los brazos cruzados y la espalda recargada contra la cabecera de su cama queen size.

Don Antonio se levantó de su cama y comenzó a vestirse.

—¿Adónde vas? ¡Vas con esa puta!, ¿verdad? ¡La voy a matar cuando la vea! ¡Esa puta me quiere quitar todo lo que es mío! ¡Mío! ¿Lo oyes? ¡Mío!

Ahora don Antonio se encontraba verdaderamente asustado.

Lo de *don* le venía del respeto generado por su extenso patrimonio, no por su edad.

Antonio Zambrano tenía 42 años en ese entonces. De estatura media tirando a baja, piernas arqueadas, de charro, cuerpo atlético para su edad y piel tostada.

Una gruesa cadena de oro colgaba debajo de su camisa a cuadros, siempre a medio abotonar.

Salió de la casa.

Esa noche Antonio Zambrano estuvo tentado a terminar de una vez por todas su relación con Erica. Sabía que estaba metido en un cuento de nunca acabar. Tarde que temprano Erica terminaría igual de desquiciada que su esposa.

Lo intuía.

No hizo caso a sus intuiciones.

49

En casa de Yolanda sus padres se oponían abiertamente a la relación de su hermana Erica con Antonio Zambrano. Yolanda era tan sólo una niña en aquel entonces.

Doce años.

Su hermana Erica, dieciocho.

Había estudiado taquigrafía en su telesecundaria. Ahora era la secretaria de don Antonio.

Sus hermanos, Ricardo y Alan, de veintiuno y veintitrés años respectivamente, empleados de don Antonio también, trabajaban de vaqueros en su rancho.

—Hija, ese hombre es mucho mayor que tú y además está casado, por dios… —le aconsejaban sus padres, al ver a don Antonio parado afuera de su casa.

—No me importa, mamá; él y yo nos amamos.

—Hija, no sabes ni lo que quieres. Dices que lo amas porque te compra muchos regalos… Eso no es amor… —intervino su padre.

—Usted qué sabe lo que siento, papá… —y corrió a los brazos de aquel que la esperaba afuera.

50

La camioneta de Marisol Zambrano se estacionó al mediodía en la avenida Insurgentes. La dirección se la había dado su primo el Canelito.

Los hermanos Acosta se dedicaban al robo de taxis, bancos, casas de cambio y abarrotes, en Culiacán.

—Pero no quiero que la maten y ya... —dijo Marisol Zambrano, y luego dio un par de instrucciones más, las cuales me he negado a reproducir aquí, por respecto a las víctimas—. Y quiero que todo eso lo vea él, que esté ahí, vivo y consciente, cuando le hagan todo eso... a la perra maldita —gruñó—. Si van con mi viejo a pedirle más dinero a cambio de no hacerle nada, entonces se las van a tener que ver con mi primo... Él sí los desaparece, pero así... —concluyó Marisol, tronando los dedos.

—No, doña; usté no se preocupe. Todo esto va a quedar antes de esta semana. Usté no necesita saber qué día. ¿Pa' qué? —dijo uno de los hermanos, Lucio.

51

Mientras Lauro torturaba a Erica, Lucio le levantaba la cabeza a don Antonio para que éste lo viera todo.

La pareja y los dos hombres se encontraban sobre una manta colocada a la orilla del río, iluminados sólo por una luna en cuarto menguante, las estrellas de Tamazula y los faros antiniebla de la camioneta Ford F150 de Antonio Zambrano, a quien los hermanos Acosta habían amarrado de pies y manos con un par de cinchos de plástico.

Don Antonio bufaba de coraje mientras esperaba el momento propicio para dar el cabezazo hacia atrás. Su cabello corto le permitió liberarse nuevamente de Lucio Acosta, quien al ir de nuevo por su cabeza la recibió de lleno sobre su nariz, impulsada con gran potencia por las fuertes piernas de Antonio Zambrano.

"¡Ah, puto!", chilló Lucio Acosta, mientras caía de espaldas sobre la tierra. La cabeza de don Antonio, ahora de frente, acertó una vez más sobre su nariz, destrozándosela por completo.

Su siguiente objetivo era la yugular del menor de los hermanos.

La mordida fue implacable. Un tigre de Bengala no hubiese hecho mejor trabajo. El muchacho se terminó de desangrar unos minutos después del balazo a la nuca de don Antonio por parte de Lucio.

Erica sería la tercera en morir. Otro tiro de gracia.

52

Ricardo y Alan localizaron a Lucio en una cantina de Culiacán, tres semanas más tarde. Lo siguieron al baño, donde le metieron una pequeña veintidós que entró por su aparato reproductor.

Corrieron a la puerta principal. No dejaron salir a nadie ni hacer llamadas. Esperaron unos minutos, para que lo asimilara, y luego lo terminaron. Los hermanos manejaron de regreso a Tamazula. "Armas un plan que te lleve automáticamente a su culminación y en el camino te das cuenta de que no hay marcha atrás…", reflexionó Alan mientras manejaba.

Por la tarde Marisol fue asesinada de un palazo en la nuca.

Tan pronto Ricardo entró a la casa, la mujer salió corriendo por una de las ventanas del primer piso, olvidándose de sus hijas y de su madre.

Alan la esperaba con una pala tomada del granero. Su hermano traía la veintidós.

Marisol intentó huir, pero luego de dos zancadas Alan la tenía bien sujetada del cabello.

Alan soltó la cabellera de Marisol luego de acomodar su mano derecha sobre el mango de la pala, tan sólo para establecer una distancia adecuada para el largo de su arma.

El golpe fue mortal.

Los hermanos continuarían su trayecto hacia el sur en la camioneta de don Antonio, donde serían masacrados horas más tarde por un retén policial en la interestatal.

53

Desde el único abarrote abierto en el pueblo de Tamazula hablé al bar Bucanero, preguntando por Yolanda, quien se hacía llamar Maya en ese negocio. Félix el cantinero me dijo que ya no trabajaba ahí. Que no sabían nada de ella desde el día en que atacó a la esposa de un cliente, ensartándole el tacón de su bota en un ojo. La señora quedó tuerta y a Yolanda se la llevaron al tambo.

Félix me dijo que todo comenzó cuando a la esposa del cliente se le ocurrió mofarse de la celulitis de Yolanda mientras ésta se hallaba todavía en la pista.

—Eso no se hace —le expliqué, intentando justificarla.

—¿Pero no te parece que exageró?

Cuando le tocó el turno de subirse a su mesa, Yolanda ensartó el tacón de su bota en el ojo de la mujer.

—Ya andaba muy mal, Yolanda… Muy mal… —me confesó Félix.

—¿A qué te refieres? —le pregunté.

—Pues… creo que anda enferma… Todo por culpa del nuevo dueño; él es el que metió sus porquerías al negocio, él mismo se las vende a las muchachas. Todas andan bien demacradas y enfermas, ya ni se preocupan por cuidarse. Deberías verlas. Dan lástima…

Colgué.

Lloré.

Recordaba aquellos ojos azules y alegres de Yolanda y su carita pecosa y entonces me daba por llorar aún más. ¿Acaso yo era un enviado de Satanás encargado de traer la desgracia dondequiera que me parara?

54

—Esa mujer es la que enfermó al Canelito… El Canelito
está enfermo —por fin me confesó Ramiro, el primo de
Ezequiel—. La andan buscando por todos lados pero desapareció. Nadie la ha podido encontrar.

—Cómo pudo haber pasado… —yo seguía atónito.

—La muchacha se volvió disoluta, ¿entiendes? No le
importaba que la gente la conociera, que conocieran a su
familia. Se entregaba a todos, pero el primero fue el Canelito. Él dice que no supo ni cómo ni cuándo fue. Es más,
él dice que ni se acuerda. Fue una de tantas… Él dice que
un día simplemente le llegó una carta a su casa, donde le
decía que se hiciera un análisis y que hasta venía firmada.
Cuando se enteró de que estaba enfermo él solo se dio para
abajo… Ya ves cómo es la mente… Hoy en día se ve muy
mal… Muy mal…

Luego me enteré, la carta terminaba de la siguiente
manera:

Nos vemos en el infierno.

Atte.
Yolanda, la hermana de Erica,
Alan y Ricardo…
Que no se te olviden…

55

Me pasé un buen tiempo cavilando la manera de encontrar al Mudo, ahí parado, junto a la camioneta de Ramiro, estacionada frente a la plazuela de Tamazula, cuando recordé lo último que dijo Félix, el cantinero del Bucanero, acerca del nuevo dueño del congal.

Fui corriendo de nuevo hacia la caseta telefónica.

—¡Don Félix! El nuevo dueño del Bucanero, ¿de casualidad no trabajó ahí mismo como seguridad?

—Ése mero.

—Don Félix, ¿ahí está él?

—Sí.

—¿Puede oír?

—No.

—No le menciones esta conversación, por favor.

—No te preocupes.

56

Arribamos en el jet del Canelito al aeropuerto de Mexicali un lunes por la mañana. Sentía el cuerpo cortado y la garganta rasposa. Me tomé dos ampicilinas que no surtieron efecto. Sentía escalofríos. Quizá era el miedo.

Nos acompañaban tres mercenarios más, Walter, Rodolfo y Jonathan, quienes se habían puesto de acuerdo en no quererse ir de Mexicali sin antes pasar a la comida china, como un par de niños malcriados.

—Nomás por eso vinimos; traíamos antojo de comida china y por eso le dijimos al Canelito que queríamos venir —se quejó uno de los tres matones.

—Yo creí que eran profesionales —objeté.

—Ramiro, qué les cuesta desviarnos tantito —preguntó Walter.

—Primero que nada, el Canelito de ahora en adelante es la persona que está a mi lado… —dijo Ramiro luego de desactivar la alarma del automóvil 300 color negro que nos habían dejado preparado con toda la herramienta necesaria en el estacionamiento del aeropuerto.

—Sí —respondieron todos juntos.

—Canelito, ¿nos das permiso de desviarnos a la comida china? —me preguntó Ramiro.

—Está bien —dije.

Ramiro abrió la cajuela para verificar el arsenal. Ro-

dolfo sacó la M–16 con lanzagranadas y dijo: "say hello to my little friend".

Luego la guardó.

Ya en el buffet de comida china volví a ordenar fruta. Walter, Jonathan y Rodolfo se atragantaban cual si fuera la víspera del Armagedón. Mientras tanto, la televisión anunciaba histérica la desaparición del cómico Jared Roberts, *el chico de los soliloquios*.

Uno no podía escapar a ello. Estaba en todos los canales. Había desaparecido durante una visita a la ciudad de Tijuana. Se ofrecía una cuantiosa recompensa para los que dieran alguna información que ayudara a revelar su paradero.

Acabé mi fruta y salí a fumar un cigarro. Cruzamos La Rumorosa a mediodía. Al arribar a Tijuana pudimos constatar que el Mudo iba para todos lados con un equipo de cuatro guardaespaldas a su servicio. Se desplazaban todos juntos en una Cadillac Escalade color marfil. El Mudo entraba desde las siete al Bucanero y ya no salía hasta la mañana del día siguiente, y eso sólo por unas horas.

El establecimiento era una caja color marrón con vidrios polarizados en las ventanas y con un estacionamiento al frente de tamaño regular. Lo custodiaba un nuevo guardia. Un tipo alto y fornido de unos treinta años.

57

Al día siguiente me di una vuelta por la oficina del Malasuerte, ubicada en el segundo piso del centro comercial Plaza Dorada. Para ese entonces ya traía la fiebre hasta el tope. No paraba de estornudar. Sudaba frío. Me soné la nariz y me deshice del pañuelo. Desde un poste de acero sobre el estacionamiento, el local se anunciaba de la siguiente manera: "Tomás Peralta, Solucionador de Asuntos… *Sus problemas son mi negocio*".

Lo mismo se leía en el cristal esmerilado de la puerta. Al parecer el Malasuerte era una especie de detective privado.

Hice sonar el timbre.

—¡Está abierto! —gritó una voz cavernosa desde el otro lado.

Abrí la puerta y entré. Ahora me encontraba frente al escritorio del Malasuerte. Al principio me sentí intimidado. El mentado Malasuerte era un individuo gigantesco y con pinta de vikingo. No entendía cómo podía caber en esa silla de tamaño regular. Su cabello era rojo y ondulado hacia atrás. Vestía de traje color verde oscuro y corbata café haciendo juego con sus zapatos.

—Espérame —y me mostró la palma de su mano callosa, de la cual habrían salido tres mías.

Estaba al teléfono.

Decía:

—Sí, sí, sí. No se preocupe. Andamos sobre su pista. Dígale a su hija que estamos trabajando en eso. Nomás dennos un par de días más, por favor. Nosotros encontraremos a su Chispas.

Chispas era el chihuahueño de una niña llorona que había contratado al Malasuerte para que se lo encontrara.

"Pobre viejo, a este punto ha llegado la crisis", pensé, y mientras lo hacía volví a estornudar.

Rocié de saliva la primera plana de una edición vespertina extendida sobre el escritorio del Malasuerte.

"Secuestro de Jared Roberts, un ajuste de cuentas...", alcancé a leer. Finalmente el mentado Malasuerte colgó el teléfono.

—¿Qué se le ofrece? —me dijo, colocando su gigantesca mano sobre el periódico.

Había cierto cansancio y nobleza en su mirada.

—Papá... —confieso que no se me ocurrió nada mejor que decir.

—¿Quién eres? —preguntó extrañado.

—Tu hijo... Brandon... Brandon Peralta... Sólo te quería decir que lo siento, papá —y borbotones de lágrimas comenzaron a escurrir de mis ojos. No sé por qué.

Mi padre se levantó de su asiento.

—Hijo... eres... ¿tú? —preguntó, un poco extrañado y escudriñando mi rostro.

—No hay por qué estar más tiempo distanciados... Está bien, mataste a mi madre y a toda su familia, pero esas cosas pasan. Yo digo que hay que darle vuelta a la página y seguir adelante, ¿no crees?

Sí, sí, ya sé lo que ustedes han de estar pensando en estos momentos: siempre tengo que convertir todo en una farsa. Sin embargo, funcionó. Es como si hubiese dicho las

palabras perfectas. Aquel abominable hombre de las nieves corrió a abrazarme. Más bien a hacerme el abrazo de oso. Todavía lloro cuando recuerdo ese día.

Yo digo que los dos estábamos necesitados de cariño y de afecto. A mí me abandonó mi papá. Ahora me había conseguido uno. Estaba bien. Yo sería su hijo. Él sería mi padre.

—Qué tal si vamos al bar de la esquina a ponernos al día —me preguntó, secándose las lágrimas.

—Otro día será, papá, te lo prometo; hoy tengo que arreglar unos asuntos.

—Tu familia no tuvo nada que ver con lo del pendejo ese de Jared Roberts, ¿cierto?

—Sinceramente no sé de qué me hablas, papá.

—Está bien, está bien, cabrón. Mañana nos vemos.

El teléfono volvió a sonar. Le pedí que atendiera la llamada.

—No, señora, todavía no hemos sabido nada nuevo de Chispas… —lo escuché decir mientras me iba.

58

La ciudad se hallaba más desquiciada que de costumbre. Convoyes de militares y policías recorrían las calles de Tijuana en busca del famoso Jared Roberts. Parecían decididos a encontrarlo a como diera lugar. Era una cuestión de orgullo. Se habían traspasado los límites de lo permisible. Aquello no se le hacía a alguien así de famoso. Menos de esa manera. El gobierno mexicano estaba quedando en ridículo a los ojos del mundo.

Esa misma noche, recargado sobre la pared de la papelería ubicada frente al Bucanero Bar, mientras veía pasar el desfile de militares, decidí que no tenía sentido ejecutar al Mudo. No sin al menos darle una oportunidad de explicarme el motivo de sus acciones.

—Si no regreso en media hora entren con todo... Cubran la entrada y la salida —alcancé a decir, con voz entrecortada.

Pasé saliva. Era el miedo lo que me oprimía el pecho y la garganta. Sentía el estómago inflamado. El coctel de mariscos ingerido por la mañana en el restaurante El Chakas, junto a las cubetas de cervezas y las pastillas para el catarro, no me había caído del todo bien.

Esperé a que terminaran de pasar los carros para cruzar la avenida. Antes de llegar al estacionamiento del Bucanero Bar me topé con una gitana decrépita y de ojos muy sal-

tones, la cual se ofreció a leerme la mano. Le dije que no estaba interesado, pero la mujer se interpuso en mi camino y no me dejó pasar.

Accedí.

Observó la palma de mi mano derecha por un momento y luego me dijo que yo no era un hombre común y corriente, sino un ángel enviado por el señor y que aquélla sería mi gran noche.

Me llamó "guapo".

Su aliento tenía un olor muy similar al de la mierda. Le di veinte pesos para sus drogas y ella me bendijo; luego me quiso dar un beso en la mejilla pero no me dejé.

El cielo era color naranja, mientras que el viento era caliente y seco. Mis piernas temblaban. Un chorro de sudor helado me escurría desde la frente hasta los talones, pasando por las ingles.

Sentía un ligero presentimiento de que aquélla sería mi última noche en la tierra. Como si se estuviese cerrando un ciclo. Quizá era por lo que me había dicho la gitana decrépita unos segundos antes.

El guardia de la entrada me hizo el registro de rutina y me dejó pasar. No detectó la pistola dentro de mis botas de armadillo.

El plan seguía marchando sobre ruedas.

59

Dentro habría unas veinticinco personas en total, entre meseros, clientes y trabajadoras. A mi derecha, la pista circular, rodeada por las sillas y las mesas. A mi izquierda, la barra, y detrás de ésta, la ventana de la oficina del Mudo, hecha de vidrios polarizados.

Las chicas parecían mujeres vampiro sedientas de sangre. Recuerdo que algunas eran flacas, altas y morenas, con largos colmillos y sonrisas grotescas. Otras eran bajitas y panzonas, con pinta como de gárgolas, corriendo de aquí para allá. También había unos mujerones como de metro ochenta, morenas también, de espalda ancha y amplia estructura ósea.

Las luces parpadeantes irritaban mi vista. La cabeza me daba vueltas. Me sentía debilitado. Le pregunté a Félix por Jorge. Me reconoció al instante. Echó la cabeza hacia atrás, en dirección al vidrio polarizado.

Para llegar a la oficina del Mudo antes debía pasar por la cabina del DJ, a quien le dije que deseaba entrevistarme con Jorge.

—¿Quién lo busca?

—El Rayo.

Desapareció.

—Que pase —me dijo el encargado de poner el ambiente, al salir de la oficina del Mudo.

Abrí la puerta del fondo y entré. La oficina era un cuartito muy pequeño y sin salida de emergencia. El Mudo me esperaba dentro con una amplia sonrisa. Se paró de su silla de piel y vino hacia mí con los brazos extendidos.

Me abrazó, plantándome un beso en la mejilla.

—¡Hermano! —exclamó, y me volvió a abrazar.

—Vengo a matarte, Mudo.

—No, nada de eso… Ven, toma asiento.

Así hice. El Mudo se fue a sentar detrás de su escritorio.

—¿Quieres un puro?

—No, gracias.

Cortó uno y se lo puso en la boca. Lo encendió tranquilamente. Echó el humo al techo, reclinándose en su silla.

—¿Ves a ese adiposo con la cabeza metida en el ano de la chica flaquita?

—¿Qué hay con él?

—Es magistrado. El otro que le está aplaudiendo, el del bigote de morsa, es juez de distrito. Los de la mesa de allá —dijo, desplazando su dedo índice unos treinta grados a la derecha—, esos con la bragueta desabrochada, masturbándose, todos esos son puros dirigentes del sindicato de maestros… Los que están aventando los billetes sobre la mesa con las dos mujeres haciendo el 69, ésos son jueces. El que se está llevando a la chica de dieciséis años al privado es agente del ministerio público… Tengo a la gente que supuestamente gobierna esta ciudad comiendo de mi mano… Siempre que me llega un cargamento de muchachas son a los primeros a los que llamo. Les digo: "me va a llegar una *así y asá*", y son los primeros que se dejan venir…

—Te ha llegado tu hora —le dije, luego de extraer mi arma, apuntándole.

—No tiene caso; jamás saldrás vivo de aquí. Ahí dentro todo mundo anda armado. Tan pronto escuchen el

primer disparo se abalanzarán hacia acá para ver qué ha ocurrido.

—No me importa.

—Entiéndelo, nada de esto tiene sentido. Tú eres igual que yo; mataste a Humberto sólo por quedarte con esa puta…

Sus palabras llegaban con retraso a mi cerebro. Un poco revueltas. Confusas. Intentaba pensar con claridad. No lo lograba. Sudaba copiosamente. Mi corazón palpitaba a mil por hora. El mundo entero se dirigía directo al precipicio. Ya no había decencia. ¿Adónde se había ido la generación de mis abuelitos? Aquellos hombres rectos, incorruptibles, que conocían el valor de la honestidad. Aquellos hombres caballerosos, siempre bien peinados y rasuraditos, oliendo a agua de colonia Sanborns.

Supongo que nos habían dejado en manos de esta gentuza. Era verdad lo que decía la gitana. Yo era un ángel, como uno de aquellos enviados a la capital del vicio y la perdición antes de ser destruida por la ira de dios. Aunque confieso que para ese entonces no sabía si lo que pensaba era algo lógico o si sólo eran los desvaríos de una mente enferma como la mía.

—Tienes razón —le dije al Mudo, regresando la pistola a la funda dentro de mi bota, con un gesto de resignación.

Me levanté de la silla como pude. Tambaleándome.

—¿Adónde vas? ¿No te quieres quedar un rato?

—¿Qué hiciste con Yolanda? —recordé preguntarle, antes de salir de su oficina.

—¿Yolanda? —me miró extrañado.

—Maya… —dije.

—¡Ah! ¿Se llama Yolanda? ¡Ja! ¿No la viste allá afuera al entrar? Dice que lee la mano. Lo que saca me lo cambia por globitos… ¿Te sientes bien?

—No es nada, sólo ocupo aire.

60

Al salir a la intemperie llevé una gran bocanada de aire más o menos fresco a mis pulmones. Me fui restableciendo poco a poco. No pude ver a Yolanda por ningún lado.

Crucé la calle para reunirme con la gente del Canelito.

—Ha llegado la hora —dije.

Nos subimos todos al 300 y dimos vuelta en U, rumbo al estacionamiento del Bucanero.

—Espero que estén preparados. Ahí dentro casi todos llevan armas. No les den oportunidad de sacarlas… Dejen vivos sólo a los clientes y al personal de servicio… Me llaman cuando hayan acabado.

La orden fue ejecutada como partitura leída por un cuarteto de músicos virtuosos. Luego de los gritos y del sonido de las descargas y los vidrios rotos, Ramiro salió al estacionamiento para avisarme que ya podía entrar.

—No ha salido nadie. El Mudo debe estar todavía en su oficina. ¿Quieres que vaya por él?

—No, lo haré yo mismo.

El olor a pólvora quemada había suplantado al de los orines y la cerveza. La música seguía tocando. Ninguna de las muchachas gritaba. Algunas se mordían las uñas, pero nada más.

—Brandon, no te tardes mucho, nos tenemos que ir —me pidió Ramiro.

Le dije a Jonathan que me abriera la cabina del DJ con su arma. Lo hizo. Enseguida le pedí una granada de mano, le quité el seguro, la arrojé dentro y cerré la puerta.

El Mudo intentó abrirla.

Se lo impedí jalando con fuerza.

La detonación azotó la puerta hacia afuera.

Por fin la música paró.

Se escuchó un tiro aislado, el cual no salió por ninguna parte.

Por un momento dudé en entrar.

La oscuridad de la cabina era densa e impenetrable.

Tomé aire y me abalancé sobre la puerta del fondo, la abrí de una patada y vacié el cartucho de mi pistola dentro.

Las balas hicieron nuevos orificios sobre una cabeza previamente agujereada.

El Mudo se había suicidado.

1

A la mañana siguiente me presenté en el despacho de *mi padre* con una botella de Etiqueta Negra, un par de vasos jaiboleros y un bonito sombrero de mimbre como regalo. Los muchachos me esperaban en el estacionamiento.

Jamás me imaginé que el oficio de investigador privado pudiese tener tanta demanda. El Malasuerte tenía un cliente en su oficina y otro sentado en la recepción. Una mujer de estatura muy corta y rostro anguloso a la que le di los buenos días y me respondió con una mirada de borrego a medio morir.

—Dicen que es muy bueno —me informó, acomodándose en su silla.

—Sí —acaté a responderle.

Por la conversación que se alcanzaba a filtrar a través del cristal esmerilado de la puerta pude percatarme de que dentro se encontraba el cliente del perro chihuahua perdido. Mi papá le decía que se calmara, que lo mejor en esos casos era no perder la calma y esperar.

Resultó que había llegado una carta de los secuestradores de Chispas, la cual dejó a sus dueños convertidos en un manojo de nervios.

—¡Mi hija no ha comido en días! —chillaba la señora desde el interior.

Tomé asiento al lado de la mujer bajita, quien tenía sobre sus piernas un bolso de la mitad de su tamaño. El bolso, de color caqui, llevaba tejida en ambas caras la imagen de una bailarina de flamenco.

—Vengo del *otro lado* —me informó—. Hay *especial* de pañales en la Big Buy. Están bien baratos.

—Ah —respondí.

Me entretenía observando el cuadro de los perros jugando cartas en el despacho de mi padre cuando en eso la mujer a mi derecha se puso a llorar. Yo no le pregunté qué le pasaba, sino que mantuve fija la mirada sobre el más alto de los canes, un sabueso color gris, quien se admiraba de su mazo de cartas, en plan fanfarrón.

A los pocos minutos salió de la oficina del Malasuerte un mujerón de cabello rizado y ojos irritados de tanto llorar.

Eran mujeres como aquéllas las que me hacían recordar las razones que me llevaron a quedar perdidamente enamorado de Telma.

Yo nunca vi a Telma llorar.

2

—Póngase de acuerdo en la hora y el lugar en donde se llevará a cabo la entrega y déjemelo a mí —dijo el Malasuerte, con una mano en el hombro vibrante de la abuela de Chispas.

Se sorprendió bastante al verme.

—¡Canelito!

—Yo llegué primero —protestó la mujer bajita, ahora con cara de piedra.

—Sí, sí, claro, claro, pase —dijo el Malasuerte—. En un momento te atiendo, *hijo*.

—No te preocupes, *papá*.

Seguí atento al juego de cartas frente a mí.

Para mi mala fortuna, podía escuchar lo que estaba sucediendo en la oficina del Malasuerte.

—Ilse Ibarra.

—Mucho gusto; Tomás Peralta… Tome asiento.

Enseguida se escucharon las patas de una silla siendo arrastrada.

—Gracias.

—Dígame, ¿qué puedo hacer por usted?

La mujer volvió a romper en llanto. Aquello lo tenía bien ensayado.

—El marido de mi hermana se encuentra desaparecido —dijo.

—Pero su hermana… ¿por qué no está ella aquí?

—Dice que no le importa… pero yo sé que sí…

—¿Cómo lo sabe?

—Porque no es justo que la deje botada así nomás.

—¿Cuál es el nombre del desaparecido?

—Raúl Parra Sandoval.

—¿Tiene alguna foto de él?

Una pausa.

Silencio.

Era el turno de mi padre de desplegar sus talentos:

—Trabaja en una maquiladora. Doce horas diarias. Turno nocturno. Entusiasta del futbol, ¿no es así?

—¿Cómo lo supo?

—Fácil, está en el porte.

—¿Qué?

—Soy investigador privado, ¿lo recuerda?

—Es verdad.

—¿Cómo se llama su empresa?

La mujer se lo pensó por un rato antes de contestar.

—Termotronics.

—La conozco. ¿No hay nada más que me quiera decir?

—No.

—¿Cuál es su teléfono?

—Ésta es mi tarjeta. Ofrezco planes de retiro, por si le interesa.

—De momento no. Mis honorarios son de setecientos pesos diarios. Más gastos. Le entregaré facturas. Por lo pronto ocupo mil quinientos para abrir su caso; le haré un recibo. ¿Está segura de que su cuñado los vale?

—Todo esto lo hago por mi hermana.

—Seguro que sí… Me pondré en contacto con usted tan pronto sepa algo.

—Con su permiso.

La mujer enchuecó la boca al pasar por mi lado.

Por fin, nos encontrábamos mi padre y yo solos.

—Supongo que ahora soy yo el que se encuentra atareado, verdad.

—Eso parece —le contesté.

—Entiéndeme, esto había estado bien muerto. Ahora, con lo de la desaparición del mentado Jared, todo mundo anda un poco loco, lo cual es bueno para el negocio... Supongo... ¿Y eso qué? ¿Es para mí? —preguntó, señalando la botella.

—Seguro.

Tomé asiento frente a él. Abrí la botella. Serví ambos vasos.

—¿Lo tomas directo?

—No conozco otro modo.

Le di un sorbo a mi vaso. Él también.

—Y qué, cuéntame, qué ha sido de tu vida.

—Pues nada, papá, que me enamoré de una puta que me jugó una mala pasada, eso es todo.

Como digo, hay que ir al grano; para qué andarse con rodeos. Si te preguntan algo, más vale contestarlo con franqueza. Más aún si es tu padre el que te lo está preguntando.

—Oh... ya veo... Pues supongo que eso es algo que nos pasa a todos, ¿no? —dictaminó, aún perplejo.

Para ese entonces yo ya estaba chillando a moco tendido. Sinceramente no sé lo que me pasa. La verdad es que me resultaba imposible superar mi amor por Telma.

—Ya, ya, ya. Total, te enredaste con una puta... Yo por eso pago en efectivo. Sale más barato.

No cabía duda, me encontraba frente a un viejo lobo de mar.

Este tipo hablaba mi idioma.

—¡Verdad que sí! —le reviré, excitadísimo—. Padre...

—Dime.

—¿Te puedo pedir un favor?

—El que sea.

—¿Puedo ayudarte a resolver este caso?

—¿Cuál caso?

—El del cuñado de la histérica. Es que siempre he querido saber lo que se siente ser un detective privado… El otro día me tocó ver una gabardina bien bonita en una tienda de segunda; si me dices que sí voy por ella y me la compro orita mismo.

—¿Viene con todo y la lupa y la pipa?

—Sí, creo que era el kit completo.

—¿Por qué mejor no me ayudas con el caso del perro chihuahua?

—Estoy hablando en serio.

—Está bien, pues. ¿Cuándo empezamos?

—¿Qué te parece ahora mismo?

Lo cierto es que yo sólo quería estar a un lado del viejo por un poco más de tiempo antes de regresar a Sinaloa. Todavía recuerdo el día que mi madre me contó lo de aquel señor que yo creía Superman. Lo de que había embarazado a otra mujer. Tendría tan sólo unos siete años en aquel entonces. Debo decir que me costó un buen asimilar el golpe. Jamás lo volví a ver. Luego me enteré. También abandonó a la otra señora y a su hija. El viejo era lo que se dice una piedra rodante. Era por eso que en ocasiones yo actuaba como un chiflado. Es que eso de no tener raíces se siente un poco mal. Es como no saber bien a bien de dónde viniste o para dónde vas, porque no tienes alguien a quien imitar, ¿me entiendes?

Bueno, pero el caso es que me di cuenta de que estar con el Malasuerte le daba tranquilidad a mi alma.

Para ese entonces ya no tenía ni a Telma ni a mi madre, pero lo tenía a él, quien se había tragado el cuento de que yo era su hijo, o al menos parecía que se lo había tragado.

—¿Quieres ir por la gabardina primero o quieres ir persiguiendo a los tipos malos de una vez?

—Primero voy a ir a pedirles permiso a mis sicarios para irme contigo; están ahí abajo…

El Malasuerte se quedó serio por un momento, mirándome a los ojos con el vaso cerca de su boca. Se hizo un silencio. Estalló una estruendosa carcajada que casi lo parte en dos.

3

Sobre la mesa de la cocina una sopa instantánea se enfriaba junto a una botella de salsa picante.

Nos encontrábamos frente a la esposa del desaparecido, Yamilé Ibarra, quien cargaba a un bebé de meses.

—Ya le dije a Ilse, a mí no me importa que no aparezca Raúl; aun así, ella insiste en buscarlo. Cree que su desaparición está relacionada con el secuestro de Jared Roberts…

—¿Qué? ¿Qué le hace pensar eso? —preguntó el Malasuerte.

—¿No lo saben? ¿Qué clase de detectives son?… Raúl trabajaba en Protologics.

—La misma maquiladora donde trabajó Ramón Osuna, ¿cierto?

—Así es.

—Su hermana nos dio otra información; ¿por qué lo habría hecho?

—Supongo que quiere el dinero de la recompensa para ella sola.

—¿Quién es Ramón Osuna? —pregunté.

—Ramón Osuna es el principal sospechoso de la desaparición de Jared Roberts.

Parte tres

Jared Roberts
(*Apuntes basados en el archivo del detective Malasuerte*)

1

—¡Yo ya tengo cuatro casas, y voy por la quinta! —le gritó entusiasmado Raúl Parra Sandoval a Yajaira por encima de la música de viento.

Yajaira provenía de Chiapas, estado ubicado en el otro extremo de la república. Había llegado con sus padres, su hermano y dos tíos, quienes sabían hablar tzeltal pero hacían como que no. Rentaban todos juntos un cuarto en una vecindad ubicada a seis cuadras de la fábrica de televisores.

Yajaira tenía dos hijos de su tío José Luis: Brayan y Lindsy, de tres y un año respectivamente.

—Acaban de depositar nuestro ahorro —le informó Raúl Parra, gritándole al oído—. ¿Qué te parece si te llevo en mi pick-up al motel Elixir? Cobran trescientos cincuenta pesos con jacuzzi. Y podemos hacer el amor en el jacuzzi tú y yo. Y también tiene espejos en todo el techo.

A punto de salir de la fiesta estaban Yajaira y Raúl Parra cuando dio inicio el concurso de canto, a partir del cual la empresa entregaría un horno microondas al ganador.

—¡¿Qué tal si nos quedamos un rato a ver el concurso?! —propuso Yajaira con entusiasmo.

Al principio el evento no cumplió con las expectativas de Yajaira, luego de que ninguno de los concursantes se tomara las cosas muy en serio, dedicándose a payasear con el micrófono unos y a paralizarse muertos de nervios otros. Ramón Osuna, un operador del área de empaque, alto, de pesada osamenta, moreno, y que usaba un bigote ralo en el medio y poblado en los extremos, subió a la pista, le arrebató el micrófono al maestro de ceremonias y comenzó a contonearse de manera grotesca mientras ponía voz a una pista de Juan Gabriel, un cantautor mexicano famoso por su adamado estilo interpretativo.

El público enloqueció al instante. La misma Yajaira no recordaba haberse divertido tanto como en aquella ocasión. Para Yajaira siempre había sido motivo de admiración el que alguien tuviese el valor de pararse sobre un escenario y actuar frente a muchas personas. Fue por eso que dijo: "con éste de a gratis", mientras observaba a Ramón Osuna llevar a cabo su número.

Y es que, parada en la pista de baile del salón de fiestas El Rodeo, junto a Raúl Parra Sandoval, Yajaira se sintió atrapada en una asfixiante maraña de amenazas, compromisos y cálculos, por lo que esa noche estaba determinada a dar satisfacción a su cuerpo por vez primera, a hacer algo por ella misma. Ramón Osuna se convertía ahora en la razón de que ella estuviera en ese lugar, no el tímido y mediocre de Raúl Parra Sandoval, de quien ni siquiera sacaría gran cosa de todos modos.

Por eso, cuando éste le preguntó: "ahora sí, ¿nos vamos?", mientras la tomaba del brazo, Yajaira se liberó de inmediato, respondiéndole: "vete tú, yo me voy a quedar", completamente convencida de ello.

—¿A poco te gusta ése? —preguntó Raúl Parra Sandoval, al percatarse de la evidente atracción que Ramón ejercía sobre Yajaira.

—¿Por qué?

—No lo dejas de ver.

—Es que es chistoso.

—¿No vas a venir conmigo?

—No.

—Yajaira —dijo Raúl Parra, quien luego la tomó de la barbilla para atraer su total atención—, siente mi corazón —ahora se llevaba la mano de Yajaira a su pecho, del lado donde no se encontraba su corazón—, así es como lo haces latir. Estoy enamorado de ti… Cásate conmigo… Es en serio… Por favor.

—¿Qué?

—Sí, ya sé que tienes hijos; yo también los tengo, pero me voy contigo, no me importa, de verdad. Por favor.

2

Yajaira era consciente del hecho de que su pequeño cuerpo era deseado por muchos hombres de la fábrica, entre ellos Ramón Osuna, a quien estaba dispuesta a ofrecérselo a cambio de nada. Pero el número improvisado en El Rodeo no sólo le canjeó a Ramón Osuna un horno de microondas y el interés de Yajaira, sino que también recibió la invitación de parte del gerente del salón de fiestas de trabajar ahí mismo como animador oficial, por un salario de trescientos cincuenta pesos diarios más propinas.

Ramón Osuna sentía que toda su vida se había preparado para la llegada de ese momento. Según él, el tiempo le había dado la razón, sencillamente estaba destinado al estrellato. Aquello era algo que siempre había sabido; sin embargo, ahora estaba sucediendo, le habían dejado abierta una puerta y por ella se colaría hasta alcanzar la celebridad. Por eso cuando fue extraído de este tipo de divagaciones por Yajaira, quien lo felicitaba efusivamente por su actuación, Ramón Osuna la trató con la frialdad propia de una estrella convencida de su superioridad.

—Ah, sí, está bien —fue todo lo que se dignó responderle a Yajaira, antes de darle la espalda y arrepentirse ahí mismo de la oportunidad desperdiciada.

Desilusionada ante la pedantería de Ramón Osuna, Yajaira fue en busca de Raúl Parra, quien sacaba provecho a la barra libre, ordenándole su novena cerveza de la noche a un mesero de movimientos ágiles, cabello rubio oxigenado y cejas perfectamente delineadas.

—¿De verdad te piensas casar conmigo? —le preguntó Yajaira a Raúl Parra Sandoval minutos después de su encuentro con Ramón.

3

Ya en su nuevo trabajo como animador, Ramón Osuna organizaba rifas de bailarinas exóticas y seguía imitando a cantantes homosexuales cada que se le presentaba la oportunidad.

Al parecer, toda esta extroversión llamó la atención de los directivos de la radiodifusora La Perrona 93.1, quienes le ofrecieron inmediatamente el puesto de locutor estelar en su programa matutino, la carta fuerte de la empresa, con la intención de subir los niveles de audiencia por medio de un personaje más identificado con el pueblo.

Para que se den una idea de la eficacia del mal gusto como estrategia en el camino hacia el estrellato, les diré lo siguiente: el programa de Ramón Osuna inició sus emisiones en junio y para octubre el del Chero, la competencia, ya era historia.

Continuando con su racha de éxitos, Ramón Osuna brincó de la radio a la televisión por cable, y de ahí a su propio programa en horario estelar y en el mismo canal que el de Jared Roberts, quien comenzaba a hacer acusaciones de plagio más o menos públicas en contra de Ramón, del tipo: "Ramón es un chavo muy sano y talentoso, pero creo que debería ir forjando su propio estilo, en lugar de hacer lo mismo que están haciendo sus compañeros, ¿no?"

4

Durante nuestra investigación, mi padre y yo nos pudimos percatar de que a Raúl Parra no lo conocía prácticamente nadie fuera de la fábrica Protologics, donde había consumido la mayor parte de su monótona existencia. Yajaira, por otro lado, tenía una vida mucho más interesante, a juzgar por la cantidad de gente que la conocía.

Uno de los nombres que más se mencionaban cuando conversábamos con las personas allegadas a Yajaira era el de Jesús Millán, su primer esposo, a quien supuestamente Yajaira había llevado a la ruina a pesar de su futuro prometedor como estudiante de la carrera de comercio internacional.

Jesús Millán conoció a Yajaira hace siete años, cuando aquél entró a Protologics a realizar sus prácticas profesionales, faltando tan sólo seis meses para graduarse. Luego de que Yajaira acabara con él, Jesús Millán terminó vendiendo hot-dogs, sodas, fritangas, frappuchinos y hamburguesas congeladas en la tienda de una gasolinera a tres horas de distancia de su casa. Siete dólares al día. El equivalente a una soda grande, una hamburguesa doble, papas y unos cigarros en el negocio en el que trabajaba. Le sobrarían veinticinco centavos.

Ciento catorce kilos de peso.

Uno setenta de estatura.

Tez blanca, cabello castaño claro.

Veintinueve años.

Fanático de las películas de puño.

De no haber sido por Yajaira, probablemente la ficha de Jesús Millán hubiera ido de la siguiente manera:

Jesús Millán.

Gerente del departamento de compras en la empresa Protologics México.

Esposa.

Dos hijos.

Pero el hubiera no existe.

Jesús Millán quedó perdidamente enamorado de Yajaira desde el primer día que la vio trabajando en la línea de ensamble de la fábrica Protologics, mientras hacía el recorrido de rutina para los recién llegados.

Ángel García, operador del área de empaque en ese entonces, de inmediato se percató del encantamiento producido por la pequeña figura de Yajaira.

—Ríete con él —le ordenó secamente a Yajaira quince minutos después.

A pesar de todas las señales enviadas a Jesús Millán por órdenes de su amo, el predicador Ángel García, Yajaira fue abordada por Jesús Millán a nueve meses de su ingreso en la planta.

El encuentro se dio más o menos de la siguiente manera:

—Con permiso.

Eso fue lo que le dijo Jesús Millán a Yajaira cierta vez que se encontraron en la oficina de recursos humanos.

Jesús Millán se ruborizó.

En lo sucesivo, Jesús Millán saludaría a Yajaira con un leve arqueamiento de cejas cada que coincidieran en algún punto de la fábrica.

Ángel García había ordenado a Yajaira que respondiera a ese saludo.

Cuando Jesús Millán y Yajaira se fueron a vivir juntos, ésta le pidió que aún no sacaran de sus cajas nada de lo que habían comprado. Ni la lavadora, ni el refrigerador, ni la televisión, ni el estéreo, ni el reproductor de DVD. Nada.

—¿Pero por qué no?

—Yo digo que hay que pintar las paredes primero.

Un par de semanas después, el carro de Jesús Millán desapareció misteriosamente de su cochera.

El día que Jesús Millán regresó del trabajo y se encontró con que ninguno de los muebles y electrodomésticos que había sacado a crédito se encontraba en su casa, ese día comenzó a sospechar que probablemente Yajaira se hallaba de algún modo involucrada en ello.

Las cosas que le contestó Yajaira a Jesús Millán luego de ser encarada por éste resultaron ser verdaderamente humillantes, por lo que le prometimos a Jesús Millán no reproducirlas en este libro; pero el caso es que Jesús Millán por fin descubrió que su amor por Yajaira jamás fue debidamente correspondido.

Para ese entonces, el predicador Ángel García ya había reunido el capital suficiente para comenzar a construir su propio centro de rehabilitación cristiano evangélico en la colonia Nido de las Águilas.

Luego de triturar el corazón de Jesús Millán, así como su estado financiero y su futuro profesional (Jesús Millán desertaría de la carrera de comercio internacional para tomar dos trabajos y así poder pagar sus deudas), Yajaira se tomó un año sabático en su labor de devorahombres, viajando hacia su pueblo natal, ubicado en el extremo opuesto del país, con la comisión proporcionada por Ángel García.

Yajaira no habría contactado de nuevo a Ángel García de no haber sido por Raúl Parra, quien, frustrado por la indiferencia de su nueva pareja hacia él, le propuso lo siguiente, la tarde de un monótono domingo de futbol:

—¿Y si me llevas con Ángel?

—¿Con quién? —preguntó Yajaira, un tanto asombrada.

—Vamos, sé que tuviste algo que ver con él. Está bien. Siempre me pareció que Ángel era un líder nato. Quiero que me enseñe cómo hacerlo. Quiero tener ese mismo don de convocatoria para que tú me puedas respetar tanto como lo respetabas a él. Quiero que me enseñe. Sé que ahora maneja un centro de rehabilitación. Quiero trabajar con él para ver cómo lo hace. Siempre es bueno estar cerca de un líder. Siempre hay mucho que aprender.

—Está bien.

5

Botas de gamuza negra, gabardina de piel, pantalón de mezclilla y corbata vaquera de cuero. Todo del mismo color. Ángel sabía que esta vestimenta le infundía a su imagen la dosis de misterio necesaria para destacar entre el resto de los predicadores que pululaban en la colonia Nido de las Águilas, donde algunos incluso lo tomaban por cazador de vampiros y hombres lobo, mientras que otros simplemente lo veían como un extraterrestre haciendo escala en nuestro planeta.

—La imagen de hombre común, camisa a cuadros, pantalón caqui, que come, hace el amor y va al baño como todos los mortales, ya está muy gastada; creo que el mundo está preparado para una nueva clase de pastor. En estos tiempos de alta competitividad en el negocio de la palabra del Señor, es imposible ignorar la importancia de invertir en un look completamente original, Elena.

Entre los comandantes del ejército de pelones al mando de Ángel García se encontraban Elena, el enano maricón y vicioso expulsado del circo de los hermanos Ruelas; el Chuza, el cholo regenerado de la colonia Nido de las Águilas, famoso por haber apuñalado a un desconocido luego de que éste se negara a compartirle uno de sus cigarros;

el Licenciado, estafador ambulante experto en juegos de azar amañados; el Guapo, asaltante, sexoservidor y sobador profesional, y el Chiquilín, secretario del sindicato de transportistas municipales, talla doble equis ele y experto en secuestros exprés.

Todos ellos pertenecieron alguna vez al "negocio de enfrente", el centro de rehabilitación Cristo Rey, regenteado por el pastor Salomón Uribe, archirrival de Ángel García.

Cada que Salomón Uribe y Ángel García discutían, éste se ufanaba de que él sí mantenía ocupados a sus hermanos, encomendándoles tareas útiles para su comunidad.

Cuando hablaba de encomendar tareas útiles para su comunidad, Ángel García se refería a la obra de teatro *Los muros de Jericó*, la cual montaba todos los fines de semana en una plaza ubicada entre primera y segunda, con el patrocinio de las autoridades municipales (otra de las ventajas de bautizar tu asociación civil con el nombre de la esposa del alcalde de la ciudad).

La puesta en escena, a cargo de la compañía de arte dramático Consuelo Domínguez, trataba de unos muros que se caían luego de mucho rezar.

6

Emilio Durán, alias el Licenciado, era el encargado de las relaciones públicas en la banda de Ángel García.

Emilio Durán cursó dos semestres de la licenciatura en derecho; de ahí el sobrenombre. Fue después de eso que encontró su vocación en los juegos de azar amañados, los mentados *ónde quedó la bolita*, donde trabó amistad con varios agentes de la policía municipal.

Fue precisamente el Lic quien concertó la cita entre Ángel García y el jefe de la policía en la delegación Esperanza, el comandante Isidro Ramírez, reunión llevada a cabo en el restaurante de mariscos El Chakas.

Fue en ese encuentro donde se le concedió a la banda del predicador el cobro de la tarifa de protección en la colonia Esperanza. Básicamente, la gente al mando de Ángel García sería la encargada de amedrentar a los comerciantes ambulantes y a las prostitutas en caso de que se atrasaran en el pago de su cuota.

—Recuérdalo, son tres mercados sobre ruedas y un total de siete casas de masajes en toda la colonia.

—No te preocupes, aquí los tengo anotados todos —respondió Ángel García, revisando su libretita.

—No se te vaya a olvidar ninguno.

—No te preocupes.

—El sobre ruedas de los martes, el de los jueves y el de los domingos. ¿Ya sabes dónde se ponen?

—Sí.

—Te vas a dirigir con el Chango. Cuentas el número de puestos y luego revisas la cantidad. Si te dice que alguien no quiso pagar, ahí entras tú.

—Está bien.

—El putero en la avenida Presidente Fox con la fachada de estética de belleza, ahí te van a dar el doble. Que no se te olvide. No podían pagar completo porque decían que no les caía nada de trabajo, así que me pidieron una muchacha. Una güerota oxigenada. Se la pedí al jefe y me la soltó por diez mil pesos. Ahora hacen cola los albañiles. Calculo que la muchacha se poncha unos treinta viejitos diariamente… De a cuarenta dólares cada uno… Los otros cuarenta son de la muchacha… Más lo que les caiga a las otras tres lagartijas que tienen ahí… Échale cuentas… Ya hasta aceptan tarjeta de crédito, nomás para que te des una idea… Sí, tienen mucho trabajo —agregó, luego de darle una chupada a su cigarro—… Ellos ya saben, así quedamos, que iba a ser el doble porque es mucha vieja pa' ellos. Y si no quieren me la llevo de vuelta… Les dices…

—Sí.

—El doble.

—Entendido…

—Todos los lunes te va a caer una patrulla de nosotros, por la mañana. Yo te voy a marcar al radio antes para darte el número de patrulla y el nombre del oficial al que le debes entregar todo lo recolectado.

Meses después de probar su eficacia y profesionalismo en las tareas encomendadas, el comandante Isidro Ramírez puso al personal de Ángel García a cargo de las tres casas de seguridad que tenía esparcidas por la ciudad.

A pesar de las habladurías del Chiquilín, quien se decía experto en secuestros exprés, la gente de Ángel García aún no estaba calificada para levantar a las personas designadas por el comandante Isidro Ramírez; ellos simplemente las recibían, las cuidaban, las torturaban, y les daban a beber agua del escusado de cuando en cuando.

También eran los encargados de guardar el dinero de los rescates "hasta que las cosas se calmaran". Para ello mismo habían instalado una caja fuerte en la recámara de Ángel García.

Por lo demás, la obra de teatro *Los muros de Jericó* se siguió presentando los domingos por la tarde como si nada.

7

Lunes. 7:14 a.m. El radio de Ángel García tenía una llamada pendiente.

—Sí. Adelante.

—Patrulla número 47. Sargento Oropeza. Va para allá.

—10-4.

Como después lo diría: "Es que era muy *de temprano* en la mañana".

Ángel García ni siquiera se había fijado en el número del radio que le llamaba. Simplemente dio por hecho que era el de Isidro Ramírez, quien acostumbraba marcarle un par de horas más tarde.

Minutos después, la patrulla 47 se estacionaba frente al negocio de Ángel García. Aquello se había convertido en rutina. Ángel García se había vuelto descuidado. Su gente había dejado de pedir identificaciones a los policías que recogían el dinero.

—Aquí, el sargento Oropeza, reportándose.

—Jefe, ya llegaron —le avisó Elena—… Mucha calor, ¿veá?… —luego agregó, coqueteando con el hombre disfrazado de policía, quien no le respondió.

En los sacos se hallaba el dinero de dos rescates cobrados, más la tarifa de protección semanal de todos los centros de masaje y puestos de tianguis en la colonia Esperanza.

El sargento Oropeza era nuevo; sin embargo, tenía una cara conocida. Ángel García no le dio importancia. Aquélla era la patrulla número 47, conducida por el sargento Oropeza. Eso había sido suficiente.

Lo dejó pasar, abrió la caja fuerte y le entregó los dos sacos de dinero.

A la media hora su radio volvió a sonar.

—Sí. Adelante.

—Patrulla número 5. Sargento Corral. Va para allá.

—¿De qué hablas? —preguntó Ángel García, con la sangre en los talones.

Después de entregarle el dinero al policía apócrifo, la banda de Ángel García tenía un déficit de doscientos treinta y dos mil dólares en sus finanzas.

Así fue como le explicó su situación el comandante Isidro Ramírez:

—Mi estimado, con la novedad de que su empresa tiene un déficit de doscientos treinta y dos mil dólares en sus finanzas.

—Le aseguro que me pondré al corriente. No sé cómo, pero lo haré —le aseguró Ángel García.

—Es lo que más le conviene, sinceramente. Le doy un mes. Ya sea que me encuentre al que le robó o que me consiga ese dinero ganándose la lotería, yo quiero esa cantidad en menos de treinta días… Sabe, ese dinero tampoco era mío —y le dio una chupada a su cigarro—… No tiene usted idea del lío en el que está metido…

Luego de pasar dos días sumido en un explosivo coctel de whisky, metanfetaminas, barbitúricos y cocaína, lo que siguió fue una semana de fiebre severa, alucinaciones y desvaríos en la mente de Ángel García, quien a los siete días exactos se levantó de su cama, aparentemente recuperado, alzó los brazos al cielo y declaró con los ojos bien abiertos: "He visto la verdad".

Inmediatamente después, el predicador mandó llamar a todos sus discípulos a su alcoba, para que ahí escucharan todo lo que tenía que decirles acerca de su reciente viaje a los confines del universo.

—Mi guía maestro, quien llegó a mí por medio de un intenso resplandor proveniente de un pequeño resquicio en la persiana, me dijo con honda y pesada voz: "Ángel, tu nacimiento en la era de Kali y tu nombre son presagio de grandes cosas a las que tienes derecho porque eres hombre bueno, fuerte y talentoso", y me informó que el día de hoy, tan pronto despertara, recibiría una visita muy importante. Que no había nada que temer. Que esta vez íbamos a salir de nuestros problemas con superávit.

—Jefe, ¿qué es superá...?

Aún no terminaba de formular su pregunta Elena cuando alguien hizo sonar la campanilla de la entrada.

—Lo sabía —dijo.

Era Yajaira.

Ahí mismo, Yajaira le propuso a Ángel García secuestrar a la estrella de la televisión Jared Roberts, explicándole los detalles de su plan.

Jared Roberts y Ramón Osuna se presentarían juntos en esta ciudad como maestros de ceremonias de un teletón donde se recaudaría dinero para la compra de computadoras en escuelas de bajos recursos, organizado ni más ni menos que por la señora Consuelo Domínguez, esposa del alcalde de la ciudad y a la vez presidenta del sistema municipal para el desarrollo integral de la familia.

Según el plan de Yajaira, lo primero que Ángel García debía hacer era usar sus contactos con las autoridades municipales para conseguir ser invitado, junto con su clan de malandrines, a montar su obra *Los muros de Jericó* durante el maratónico evento.

Una vez dentro y terminado todo, podrían seguirlo y capturarlo en el camino.

Hasta ahí lo tenía todo claro Yajaira; el resto era cosa de Ángel y su gente.

—Va a estar difícil pero es posible. Tengo contactos con el sindicato de camioneros. Puedo provocar congestionamientos en las rutas que yo disponga, a la hora que yo disponga. Mucha gente me debe favores en esta ciudad. Tú no te preocupes. ¿Cuál sería mi paga? —preguntó Ángel, con la mirada puesta en el infinito.

—El cien por ciento. A nosotros no nos interesa el cobro del rescate.

—¿Qué quieres que haga con el mono ya que cobre mi lana? —le preguntó Ángel García media hora después, arriba, en su cama, bajo las sábanas.

—Queremos que te lo quiebres.

—¡Qué! —separándose de ella.

—Todo esto te lo pedimos Ramón y yo a título de favor. Eres el único que puede ayudarnos. A Ramón le ha ido muy mal por culpa de Jared. Yo amo a Ramón como no he amado nunca a nadie en mi vida.

—¿Ya no andas con aquel otro tonto?

—¿Raúl?

—Ése.

—Estamos casados. Él también nos va a ayudar.

—¿A qué?

—Quiere ser parte de tu equipo. Dice que tú eres un verdadero líder. Dice que te admira. Que va a hacer todo lo que tú le pidas.

—Se lo comerían vivo aquí.

—Déjalo. Dice que no lo quiero, que no lo respeto por débil. Puede ser que tenga razón. Dice que contigo va a aprender muchas cosas.

8

Ángel García la hacía de Josué. Elena, el Chuza, el Chiquilín, el Licenciado, el Mantequilla, el Guapo y Raúl Parra la hacían de sacerdotes tocando sus cuernos de carnero. El resto se encargaba de andar cargando el arca de la alianza de aquí para allá, la cual era una caja de cartón cubierta de pintura dorada y atravesada por dos palos de escoba.

Los muros de Jericó consistían en varias hojas de triplay, de dos metros cuadrados cada una, formando un cerco heptagonal. Ángel García llevaba una espada de madera en una mano y en la otra un micrófono, con el cual narraba los hechos conforme iban ocurriendo.

Jamás habían actuado frente a un público de semejantes proporciones.

Dos mil ciento ochenta y nueve almas caritativas en total.

Después de escucharse el último trompetazo y después de tumbar los muros de triplay a gritos y después de que la mitad de la banda de Ángel García se encargara de descuartizar con sus espadas de madera a la otra mitad, disfrazados de hombres, mujeres y niños cananeos cubiertos de sangre artificial, ésta era la canción que todos entonaban, mientras bailoteaban de manera sincronizada dentro de sus túnicas:

De Moisés Josué fue sucesor,
elegido para una gran misión,
hacer de su pueblo el triunfador
¡en la destrucción de Jericó!

¡Jericó, Jericó!,
nos enseña una gran lección,
el poder de orar es superior
¡a cualquier enorme construcción!

Después de cruzar el río Jordán,
asilo pidieron a Rahab,
la mujer que se iba a salvar,
¡de la matanza que estaba por llegar!

¡Jericó, Jericó!,
nos enseña una gran lección,
el poder de orar es superior
¡a cualquier enorme construcción!

Josué a sus soldados ordenó
marchar tras el arca de la unión,
una vuelta alrededor de Jericó,
¡por seis días esto así ocurrió!

¡Jericó, Jericó!,
nos enseña una gran lección,
el poder de orar es superior
¡a cualquier enorme construcción!

El séptimo día llegó,
siete vueltas y luego el pueblo gritó,
los muros no pudieron contener
¡la fuerza gloriosa de la fe!

¡Jericó, Jericó!,
nos enseña una gran lección,
el poder de orar es superior
¡a cualquier enorme construcción!

De la muerte nadie se salvó,
Israel fue el gran vencedor,
la casa de Rahab nadie tocó,
¡su temor a Dios la rescató!

¡Jericó, Jericó!,
nos enseña una gran lección,
el poder de orar es superior
¡a cualquier enorme construcción!

Ángel García encendió su micrófono de nueva cuenta.

—Los hermanos que representaron esta obra para ustedes fueron rescatados de las garras de la drogadicción gracias al camino de luz y verdad que ofrece Jesucristo. Ellos, que alguna vez cambiaron sus juguetes por jeringas, cuchillos y pistolas, pasaron de ser adictos a las drogas a ser adictos a Jesucristo. ¡Un aplauso para ellos! —y Ángel García apagó su micrófono.

Aún quedaban muchas cosas por hacer.

El Guapo plantaría las bombas en ambos vehículos en lo que Jared Roberts y Ramón Osuna lloraban frente a las cámaras, invitando a la teleaudiencia a depositar su dinero en la cuenta bancaria mostrada en la pantalla.

Enseguida había que identificar el vehículo en el que viajaría el *encargo* para luego esperarlo en el hotel con sus armas listas.

Activar una de las dos bombas y ejecutar la maniobra.

9

—Chavos, me parece que ustedes no saben con quién se están metiendo —objetó Jared Roberts, en el suelo de la vagoneta.

—Pues con el pendejo de la tele —respondió con voz temblorosa el Mantequilla, ahora encapuchado y con el arma apuntándole al cómico.

—No, no, no, muchachos; es que soy más que eso… Orita no se los puedo decir, pero cuando se sepa, va a estallar la bomba. Tengo un muy mal presentimiento acerca de todo esto. Esto va a acabar mal. Mejor suéltenme ahora, se los digo. Es por su bien.

Y Raúl Parra:

—Presta la pistola pa'cá; orita mismo voy a matar a este malnacido… —dijo, arrebatándole el arma al Mantequilla, quien creía que *el nuevo* estaba bromeando.

La detonación dejó sorda a toda la tripulación. El olor a pólvora saturó sus narices.

—¡Qué hiciste! —gritaban israelitas y cananeos, todos espantados por igual.

—Lo maté. Es el trabajo que veníamos a hacer, ¿no? Órdenes son órdenes. Además, este malnacido nos estaba amenazando…

Un disparo en la nuca del Chuza, sentado en la última fila de asientos, balanceó su cabeza hacia adelante.

Los guaruras de Jared Roberts poseían una tenacidad férrea y buena puntería. Con su codo Raúl Parra terminó de romper la ventana por donde había entrado el disparo, respondiendo al ataque hasta acabarse el cartucho de su escuadra.

La camioneta que los seguía patinó por el húmedo pavimento, dio tres vueltas y aterrizó de cabeza contra el muro de contención de la carretera. Todos se quedaron asombrados ante la inédita temeridad del maquilero Raúl Parra, convertido ahora en un psicópata sediento de sangre.

—¿Qué está pasando allá atrás? —preguntaba Ángel García, al volante.

—Nada, nada, jefe; nomás que mataron al Chuza de un balazo en la cabeza y luego *el nuevo* mató a los que lo hicieron y al encargo también… —informó el Mantequilla.

—¿Cómo que al encargo?

—Jared…

Ángel García sabía que aquello, la muerte de Jared, tarde que temprano debía llevarse a cabo; sin embargo, consideraba importante conservarlo con vida por unos cuantos días más, en lo que negociaba el rescate y sopesaba la situación en general.

"Una por otra —concluyó al fin en su cabeza—; al menos nos quitamos a ésos de encima de una vez por todas… Eran guaruras bien pagados… Sacaban el cuello…"

Por su parte, Raúl Parra sentía cómo su posición dentro de la banda de Ángel García ascendía poco a poco gracias a su reciente demostración de coraje y sangre fría.

"Me estoy convirtiendo en un verdadero líder", se dijo a sí mismo.

Lo cierto es que al principio de la misión Raúl Parra llegó a titubear; no obstante, al ver aquel convoy lleno de guaruras volar en pedazos en la entrada del Camino Real, supo que no había marcha atrás.

Aquél era el nuevo camino que había elegido para sí.

10

Un comando armado vestido de civil y dirigido por el comandante Isidro Ramírez irrumpió en el centro de rehabilitación a las dos y media de la madrugada. Ni un solo disparo. Sólo cachazos y patadas. En menos de cinco minutos ya tenían sometidos a todos los internos. Isidro Ramírez tenía un ojo morado y diversas señales de heridas en la cara. Alguien lo había lastimado severamente antes. Elena se asustó al verlo de cerca.

—¿Dónde está Ángel? —preguntó a Elena.

—En su casa, señor; en la Vicente Guerrero.

—Quédense tres aquí; el resto vamos para allá —ordenó.

Isidro Ramírez era dueño de una casa de seguridad ubicada en la colonia Vicente Guerrero, la cual contaba con un patio trasero protegido por un muro de ladrillo; en él se encontraban enterrados Jared Roberts y Jesús Torres, alias *el Chuza*. Ángel García acababa de dirigir las obras de excavación y entierro. Pensaba pasar la noche dentro de la casa, con tal de no levantar más sospechas.

Isidro Ramírez sacudía agresivamente a Ángel García luego de propinarle media docena de puñetazos en el rostro.

—¡¿Dónde está Jared?! ¡¿Dónde está Jared, pedazo de mierda?! —le gritaba el comandante Isidro Ramírez con desesperación, sacudiéndolo de la camisa un poco más.

—Debajo del cemento fresco —terminó por confesar Ángel.

—¡¿Por qué?! ¡¿Por qué?! —chillaba el policía, desesperado y con la cara llena de sudor.

—Pero si tú ya sabías… Tú querías tu dinero; me dijiste que te lo consiguiera como fuera… Tú sabías que el trato era matarlo. Sé que se nos salió un poco de control, pero así son estas cosas… Tú lo sabes…

—¡Ese pendejo es el hijo del Presidente, cabrón! —chillaba el policía corrupto.

—Presidente… ¿municipal?

—¡Del hijo de su puta madre Presidente de los Estados Unidos Mexicanos, pendejo!

11

Lola Montoya era una actriz cabaretera de la década de los ochenta.

Tez blanca de porcelana, cabello negro azabache y cuerpo espectacular. Madre del cómico mexicano Jared Roberts, a quien procreó con la ayuda del entonces regente del Distrito Federal y futuro Presidente de la República, Arturo Vizcarra.

La cana al aire del político mexicano fue mantenida en secreto por él y por su entonces amante a cambio de un quince por ciento de sus ingresos hasta que el niño cumpliera los dieciocho años. Al *Golden Boy* de la política mexicana no le quedó más remedio que acceder a semejante demanda, en un afán de proteger su ascendente carrera política y su matrimonio.

Fue a raíz de la noticia del secuestro de su hijo que Lola Montoya decidió destapar la caja de Pandora, como un medio de ejercer presión sobre el gobierno federal, justo en el último año de gestión como Presidente de la República de su antiguo amante, a quien tenía veintiocho años de no hablarle.

Los asistentes a la rueda de prensa jamás se esperaron una bomba como ésa.

—Primero que nada, buenas tardes, señores. Es con un profundo pesar en mi corazón que me presento hoy aquí frente a sus cámaras para pedirles públicamente a aquellos que tienen secuestrado a mi hijo que por favor lo dejen ir cuanto antes. Él nunca le ha hecho nada malo a nadie. Él es bueno. ¿Quieren dinero? Podemos darles todo el que pidan… —hubo entonces una pausa, en la que Lola Montoya se secó las lágrimas de los ojos y pasó la saliva atorada en su garganta—. Yo sé que no debería estar haciendo esto pero es que no sé qué más hacer —agregó llorando—. Creo que es momento de revelar la identidad del padre de Jared, no sé, quizá en un afán de presionar a este gobierno que repetidamente se ha mostrado incapaz de dar respuesta a las demandas de la ciudadanía que *hoy por hoy* reclama más seguridad en nuestro país —sí, la señora soltaba un cliché aquí y allá, pero por lo demás su sufrimiento era evidente—… Voy a dar el nombre de esta persona para que el mundo se entere de que ni siquiera el mismísimo hijo del Presidente de la República se salva de la delincuencia en México. Sí, así es —dijo Lola Montoya, con la voz quebrada y el maquillaje corrido—, es momento de que todos sepan la verdad: el padre de Jared es el Presidente de la República Mexicana Arturo Vizcarra, de quien no he recibido una sola llamada desde la desaparición de nuestro hijo…

Y entonces los reporteros la inundaron de preguntas que la antigua vedette se negó a responder.

—Lo siento, es todo lo que tengo que decir. Que pasen buena tarde, señores.

12

El comandante Isidro Ramírez comenzó a sospechar que algo andaba mal a raíz de la insistencia con que sus compañeros lo invitaban a la reunión en casa del director de Policía y Tránsito, el teniente Mario Alberto Ortiz Robledo.

Lo llamaron a su radio para confirmar su asistencia más de siete veces.

La propiedad, en forma de hacienda, se hallaba asentada sobre uno de los tantos cerros ubicados cerca de la costa. Los carros de sus compañeros estaban estacionados junto a la alberca; sin embargo, excepto los guardias, no se veía a nadie afuera de la casa, aun a pesar de que aquél era un día con sol radiante.

Lo de haber *permitido* la desaparición del famoso Jared Roberts no había sido una buena idea, lo intuía. Había sido demasiado descaro. Siempre hay límites. Eso todo mundo lo sabe. Se supone que la orden es enfriar por un rato la plaza, no convertirla en el centro de la atención mundial.

El comandante Isidro Ramírez sabía que el director lo llamaba a su casa por algo referente al asunto del pendejo de la tele desaparecido. La gente de Ángel García debió haber dejado alguna pista que los vinculaba con la delegación Esperanza. Algo debió haber salido mal.

¿Y ahora qué iba a hacer? ¿Confesar que sí había tenido algo que ver en la operación? ¿Que todo había sido culpa de su propio jefe, quien lo mataría si no le regresaba completo el dinero perdido unas semanas antes?

Debió haber hablado con la verdad desde un inicio. Debió haber pedido permiso. Él sólo quería regresar el dinero. El plan le pareció bueno en un principio. Quizá le había dado pereza mental analizar demasiado los detalles.

Así no se llega a nada, pensó en su momento. Ahora pagaría las consecuencias de no pensar. Ahora pagaría las consecuencias de asociarse con un loco como Ángel García.

Isidro Ramírez bajó de su camioneta con piernas temblorosas.

El escolta notificó por la radio su llegada y enseguida lo hicieron pasar a la casa por una puerta rústica. Del otro lado lo esperaban con un tubo de metal y un par de esposas.

El parentesco entre Jared Roberts y el Presidente de la República aún no se hacía público. La noticia le llegó al teniente Ortiz Robledo por medio de una llamada a su casa de la ciudad proveniente de la presidencia; eran las once y media de la noche.

El mensaje iba más o menos así:

—No creo que hayas sido tan pendejo como para haberlo hecho tú, pero aun así, o me lo encuentras y lo regresas sano y salvo, o se hace la guerra…

—Entendido, entendido. No se preocupe, señor; nosotros lo vamos a encontrar y se lo regresamos para mañana, a más tardar.

Los tubazos iban dirigidos al cuerpo. La consigna era no dejar marcas visibles; sin embargo, un rodillazo accidental fue a parar al ojo izquierdo del comandante Isidro Ramírez durante el forcejeo.

Le explicaron su situación, le hicieron ver que él era el principal sospechoso, lo amenazaron de muerte.

Le dieron dos días.

13

"Ésta es tu nueva vida; acéptalo, eres un asesino, te embria-
ga el olor de la sangre. Ya estás aquí, no hay marcha atrás;
si vas a hacerlo, llega hasta el final", se dijo a sí mismo Raúl
Parra, quien esperaba agazapado en la oscura recámara el
momento propicio para atacar.

No hubo lucha. El cuchillo cebollero que empuñaba
su mano derecha se introdujo sin piedad en la garganta del
oficial Meléndrez antes de que éste pudiese gritar. Escaleras
abajo hizo lo mismo con el oficial Ismael Delgado.

Raúl Parra se había convertido en un homicida invisi-
ble, rápido y silencioso; su imagen evocaba la de un guerrero sioux recién salido de un campamento vaquero, con la
sangre de tres hombres distintos chorreando de su cuerpo.

Una vez en el patio el sonido emitido al cortar cartucho interrumpió el ataque del comandante Isidro Ramírez
sobre Ángel García.

Raúl Parra no llevaba camisa.

—Suéltelo —le ordenó al policía.

—Todos ustedes están muertos —sentenció Isidro
Ramírez, en lo que soltaba la magullada cabeza de Ángel
García.

—Hay un modo de salir de ésta —dijo Raúl Parra.

—¿Ah, sí? ¿Cuál?

—Conozco a los que robaron su dinero.

Aquélla era otra noche seca, estancada y sin estrellas, ambientada por la música de las sirenas recorriendo la ciudad a toda velocidad. El graffiti y la basura en las calles de la colonia Vicente Guerrero contribuían a la creación del ambiente sórdido que imperaba afuera de la casa de Isidro Ramírez, de donde salieron siete hombres en busca de su salvación.

Raúl Parra los *lideraba*. Él era un *Líder*. Se había convertido en uno. Nunca más volvería a ser un ninguneable cero a la izquierda.

El truco consiste en arribar al punto en el que ya no hay marcha atrás. Llegar a la encrucijada y elegir el camino para el cual no hay retorno, aquel en el que la única opción es reinventarte o morir. Tu vida pasada se ha terminado y has nacido de nuevo. Es momento de convertirte en aquello en lo que siempre has soñado.

Raúl Parra caminaba con la escopeta que había arrebatado minutos antes al agente Enrique Montejo cruzada al pecho.

14

—… y la muy puta se largó con su amante al sur, deján-
dome con todas las deudas… —concluyó Jesús Millán,
sentado en el banquillo del mostrador.

—Si lo analizas bien te darás cuenta de que el origen
de todos los males en nuestra sociedad se encuentra en
el pérfido mantenimiento de la propiedad privada de los
medios de producción —le contestó reflexivo el conserje
Abraham Gutiérrez, apoyado sobre el trapeador—, no
hay más.

Abraham Gutiérrez tenía veintiún años.

Menudo de cuerpo, cabello sucio y enroscado por falta
de aseo. Nariz aguileña y mirada evasiva.

Ojos verdes.

Cursaba el segundo año de la licenciatura en ciencias
políticas.

Botas mineras, pantalón gris y chamarra negra con el
logotipo estampado de un conjunto musical.

Abraham Gutiérrez vivía en una comuna que tenía
nombre: *La Nueva Liga Internacional de los Justos*, por más
ridículo que esto suene. Su sede era un departamento de
la zona centro habitado por dos chicos universitarios y dos
adultos desempleados.

—¿Por qué haces todo eso? —preguntaba Jesús
Millán mientras observaba cómo Abraham Gutiérrez

escupía sobre los pepinillos, la catsup y la mostaza para luego meterse el pan de las hamburguesas dentro de los calzoncillos.

—Soy anarquista… antes fui trotskista, pero ahora soy anarquista.

—Para la próxima que vaya a un restaurante voy a preguntar si tienen algún anarquista trabajando en la cocina —bromeó inocentemente Jesús Millán durante su guardia nocturna en la tienda de chucherías en la que trabajaba al lado de Abraham Gutiérrez, el anarquista.

—Todo tu mundo basado en la hipocresía de las llamadas buenas costumbres va a caer. Lo que haga con esta comida no importa. Lo que nosotros buscamos es dinamitar las columnas que sostienen toda esta falsedad. Por todos lados vemos la decadencia de nuestra sociedad putrefacta. Hemos decidido no ser más parte de su engranaje podrido. Nos hemos fugado de esa cárcel de la mente donde se mantiene a la población mundial muerta en vida, ignorante, alienada, disfrutando estúpidamente de sus cadenas, dominada por la superficialidad, la vanidad y la envidia. Televisión basura, cielo radioactivo, carne de feto masacrado en pos de la industria cosmética, liposucción, cirugía plástica, comida cancerígena, océanos contaminados por huesos de dinosaurios; hemos decidido no ser más parte de todo eso. Tu civilización, no la queremos. La depravación del planeta está desatada, su inmundicia es incomparable con la de cualquier otra época. Vamos directo al precipicio y no nos damos cuenta, como ovejitas, directo al pozo de la insensatez, enviados por el nefasto culto al dinero que es puro egoísmo e infamia. Nuestra sociedad ha alcanzado el punto más bajo de su decadencia inmunda. Sus verdaderos valores son la hipocresía, la falsedad, la corrupción… Se aproxima el cataclismo. La hecatombe.

—¿Por eso haces esas cochinadas con la comida? —preguntó Jesús Millán, buscando una conexión.

—Tenemos un plan. Nuestro plan es buscar el orden por medio del caos… Acelerar el proceso de descomposición… Además, la carne es asesinato.

—¿No comes carne?

—No.

Los dos jóvenes se quedaron sin decirse nada por un buen rato.

No llegaba ningún cliente. Eran las doce y media de la noche. Aún quedaban siete horas para la llegada del siguiente turno.

—Tengo unos videos en esta computadora, ¿los quieres ver? —preguntó Jesús Millán, en un intento por cambiar el rumbo de la conversación.

—¿De qué son?

—¿Te gustan las películas de puño?

—¿Pornografía?

—Así es —respondió el cajero—, de puño.

—No creo en ella. Estoy en contra de la objetivización de la mujer.

—También hay de hombre con hombre.

—Mecanismos de manipulación mental que buscan alienarte y perder de vista tus verdaderas prioridades. Te tienen sometido —le informó al cajero.

—Tú lees mucho, ¿verdad?…

—Sí —respondió, satisfecho, el joven Abraham Gutiérrez—; también escribo. Soy reportero freelance.

—Ya veo —contestó Jesús Millán, haciéndose el impresionado, sin entender el anglicismo.

Poco a poco Abraham Gutiérrez se percataba de que el lenguaje aprendido de los panfletos anarquistas leídos en su temprana adolescencia ahora le impedía comunicarse congruentemente con otros seres humanos, y eso comenzaba a desesperarlo. Cada que abría la boca parecía dedicarse enteramente a vomitar adjetivos grandilocuentes sin poder detenerse. Simplemente no lo podía evitar.

Abraham Gutiérrez hubiese querido hermanarse con Jesús Millán, aconsejándole olvidarse cuanto antes de esa mujer que le había causado tanto daño, invitándolo de paso a irse por unas cervezas después de terminado el turno para hablar de cosas mundanas: coches, mujeres, peleas de box, etcétera.

Resultó que había complicado las cosas una vez más.

"El lenguaje pudre nuestras mentes y nos aísla. Tantos conceptos, teorías, suposiciones, ideas, postulados, conjeturas, leyes; tan sólo virus destinados a confundirnos y separarnos aún más, impidiendo la sana comunicación entre los seres humanos." Abraham Gutiérrez se percataba de que incluso este nuevo pensamiento que ahora revoloteaba por su mente podía constituir otra forma de confusión. Un fuerte dolor envolvió su cerebro. En esos momentos no estaba seguro de nada. ¿Qué era verdad? ¿Qué era mentira? ¿Acaso muchas verdades, contradictorias unas respecto de otras, no pueden coexistir al mismo tiempo? ¿Acaso esto que ahora pensaba era otra abstracción más? ¿Debía dejar de pensar del todo? ¿Actuar por instinto? ¿Será el instinto la única verdad? Y si el instinto es la única verdad, ¿entonces quién se encargaría de denunciar la injusticia social, la explotación de los pueblos oprimidos, de sus recursos naturales, el genocidio imperialista de los Estados Unidos y la conspiración sionista que lo acompaña? ¿Quién si no él? ¡Quién! ¿Pero acaso estas vacilaciones propias de la sucia filosofía burguesa no eran otro modo de hacerle el juego al gran capital, volteando para otro lado en lo que se perpetra el gran desfalco en contra de sus hermanos latinoamericanos y todos los desheredados de la tierra?

No. Abraham Gutiérrez aún no estaba preparado para cortar de tajo, reinventarse y comenzar de cero. Sus posturas eran algo a lo que le había invertido demasiado tiempo como para echarlo todo por el caño de un momento a otro.

"Ahorrar para comprar carros y perseguir chicas son actividades inducidas por el imperialismo yanqui, derivadas de placeres falsos e insustanciales. Yo no lo quiero. Nada de eso es real, no lo necesito, mi misión en este planeta es otra", se dijo a sí mismo Abraham Gutiérrez, a modo de plegaria, y continuó: "No claudiques, no te acobardes. Resiste. Caminante, no hay camino…"

Después de salir de su trance, Abraham Gutiérrez respiró hondo, se aclaró la garganta y comenzó a hablarle suavemente a la mente virginal de Jesús Millán acerca de Hegel, Marx, Trotski, Bakunin, el materialismo dialéctico, el papel del proletariado en la lucha de clases, la alienación del trabajador, el opio del pueblo, la plusvalía, el lumpen, la burguesía, los bolcheviques, el anarquismo y la conspiración sionista mundial.

Hacia las cinco de la mañana Jesús Millán se encontraba listo para tomar su fusil y combatir el saqueo perpetrado por el gran capital.

—He vivido engañado todo este tiempo…

—Me temo que sí. Pero no te preocupes: éste es tan sólo el comienzo de una nueva vida. Te has liberado de tus cadenas.

Durante el resto de su jornada, el par de camaradas se dedicaron a dinamitar el orden establecido acelerando el proceso de descomposición, o lo que es lo mismo, se dedicaron a hacer más cochinadas con la comida congelada. Luego de esto tomaron un autobús rumbo al centro y orinaron la pared de la catedral.

15

No les costó mucho trabajo hacerlo hablar.

—… Sí, sí, sí, así pasó, fue como él se los dijo —señalando a Raúl Parra—. Yajaira fue a mi trabajo y nos convenció para que lo hiciéramos. Nosotros necesitábamos ese dinero… Ella nos consiguió la patrulla pirata.

Una de la mañana.

El olor a calcetines sudorosos era insoportable.

Panfletos y carteles pegados en las paredes de la sala. Dos sillones que no hacían juego, uno café y otro guinda. Una mesita de centro con la superficie de vidrio rota de una esquina.

Ningún televisor.

Sobre el suelo un montón de libros y galletas de animalitos mezcladas con rompope, y la sangre del trotskista y ex maestro de preparatoria Demetrio Hernández, de cuarenta y cuatro años, y del maoísta y panadero Vladimir Ureña, de cuarenta y seis, quienes yacían boca abajo con un tiro en la nuca cada uno.

En el baño, el cuerpo tendido del anarquista Abraham Gutiérrez con dos disparos en el pecho.

En total tres hombres asesinados por Raúl Parra, regados por toda la casa.

—No lo entiendo —repetía incrédulo Ángel García, luego de enterarse del destino final del dinero robado—, simplemente no lo entiendo. ¿Quiere decir que donaste a los guerrilleros todo el dinero que tan astutamente nos robaste?

—Y… también compramos armas con él —respondió temblando y llorando Jesús Millán.

—¿Pero tú qué ganas con todo esto? Es lo que todavía no entiendo. Has puesto en riesgo a toda tu familia, vas a ir a la cárcel, tus amigos están muertos, ¿y todo para qué? Ni siquiera te fuiste a follar a cinco prostitutas al mismo tiempo con nuestro dinero… Es lo que yo hubiera hecho… —le aclaró Ángel García.

—No… no creo en la objetivización de la mujer.

—¡¿Qué?!

—Ya estuvo bueno —lo interrumpió el comandante Isidro Ramírez, quien luego se dirigió a Jesús Millán—: Tus compañeritos revolucionarios están muertos. El único sobreviviente eres tú, así que te voy a ir dejando las cosas en claro de una buena vez: ustedes cometieron la cobardía de secuestrar a Jared Roberts haciendo explotar el carro de su escolta en la entrada del hotel Camino Real, de donde se lo llevaron en una vagoneta marca Dodge a la casa de seguridad que tienen en la colonia Vicente Guerrero. Ahí lo mataron y lo enterraron junto con su secuaz Jesús Torres, alias *el Chuza*. Aun así, ustedes planeaban cobrar el rescate para financiar su revolución. En esta libretita tengo las direcciones de todos tus familiares, directos e indirectos. Básicamente eres un don nadie. Tengo la certeza de que no estás conectado de ninguna forma con nadie que te pueda ayudar a salir de ésta, así que ¿estamos?

16

—Nunca seré tuya —le dijo Yajaira a Raúl Parra viéndolo directamente a los ojos en aquella cama de motel de paso en la que la pareja pasó su luna de miel.

Fue un impulso. Se le salió. Cuando menos lo pensó ya lo había dicho.

La cara de Raúl Parra se encendió de inmediato. Se detuvo. Bajó del cuerpo de Yajaira y se recostó en la cama.

Aún le quedaba un poco de orgullo.

—¿Qué pasa? —preguntó Yajaira, haciéndose la inocente.

—No, nada, es sólo que lo que dijiste…

—¿Qué dije?

—Que nunca serías mía.

—Estoy contigo, ¿no? Aquí me tienes… Soy toda tuya.

—Pero lo dijiste.

—Yo no dije nada, lo estás inventando.

—Quizá debería estar con mi familia.

—Quizá deberías.

—Te amo.

—Ay, por favor, no empieces.

Un par de meses después, Raúl Parra se hallaba convertido en otra persona. Había cruzado al otro lado, hacia el corazón de las tinieblas. Yajaira misma lo notó de inmediato al verlo dictando órdenes a Ángel García, quien parecía respetarlo incluso más de lo que se respetaba a sí mismo.

Intentó llegar a su corazón pero fue imposible. Raúl Parra estaba hecho un témpano. Su mirada era otra. Simplemente no la veía con la misma devoción de antaño. Aquello no era actuación. La actuación siempre resulta evidente. Aquello era auténtica indiferencia. Raúl Parra era grosero con ella. Ángel lo apoyaba.

—¡Nos tendiste una trampa, puta! —le recriminaba Ángel García.

La tenían acorralada. La lastimaban con sus manos. Tuvo que confesarlo todo.

¿Y todo esto por qué? Por el cochino amor. Había cometido el error de enamorarse de Ramón Osuna, quien no paraba de inculparse a sí mismo con sus torpezas transmitidas por cadena nacional. Ahora las cámaras lo ponían más nervioso que nunca, como si Ramón Osuna escuchara lo que pensaban todos los televidentes al mismo tiempo...

"Asesino, asesino, asesino..."

No paraba de sudar y de equivocarse en sus rutinas, las cuales eran básicamente pura improvisación, y sin embargo, ni aun así las completaba sin cometer algún tropiezo en el camino. La gente sintonizaba su programa más por morbo que por otra razón. Todos sabían que aquella sonrisa nerviosa algo escondía.

En el programa de tributo a Jared Roberts un sector del público no paró de abuchearlo hasta que Ramón Osuna salió del foro, donde tenía planeado realizar un "soliloquio en honor a su amigo".

Aquél era uno de los soliloquios más exitosos de Jared Roberts, el soliloquio del muchacho que le pide el carro a su papá para llevar a pasear a su novia y luego se topa con su suegro y luego le da diarrea y tiene que pedirle el baño y una vez dentro hace mucho ruido con las tripas.

17

—¡Estoy dispuesta a hacer lo que sea por reparar todo el mal que te he causado, mi amor! —dijo Yajaira y rompió en llanto.

Se dirigía a Raúl Parra. El ex empleado de maquiladora.

—Tú tienes a tu amante.

—Ése no es un hombre. Ése es un cobarde. Ahora me he dado cuenta de que te quiero más que a nadie. Puedo ir hasta la cárcel por ti, mi amor, si tú así lo deseas. Sólo hace falta que me lo pidas, corazón —y Yajaira comenzó a besar el cuello rígido de Raúl Parra.

Ángel García observaba la manera en que Yajaira se sometía a Raúl Parra.

A Yajaira no le interesaba el dinero de Ramón Osuna. Ella sólo buscaba *un hombre* para estar a su lado.

—Tuve que convertirme en un asesino para que me amaras, Yajaira. He matado a muchas personas por ti, me he convertido en una mala persona, y todo lo hice para que me amaras… Ahora que te tengo he decidido que quiero regresar con mi familia, aunque sé que eso ahora es imposible…

—No, tú no quieres eso; tú me amas. ¿Recuerdas cómo te humillabas por mí? Regresa conmigo y jamás te humillaré otra vez.

—Tú nunca fuiste mejor que yo, ahora me doy cuenta de eso. Jamás has tenido el más mínimo amor propio; tú también sometes tu voluntad a la de todo aquel que sea capaz de pisoteártela a placer, siempre y cuando ese alguien nunca muestre una debilidad, porque en ese momento te desharás de él como un perro muerto arrojado a la carretera, como ahora pretendes deshacerte de Ramón… Eres mala.

18

El día que me presenté frente a Ángel García para pedirle ser admitido en su centro de rehabilitación, confesándole mi adicción al cristal, el tipo se esmeraba en transmitir a toda costa una paz interior quizá un poco sobreactuada.

Su negocio era tal vez la construcción más vetusta de la colonia. Comenzaba con un jardincito en pésimas condiciones, cercado por un pequeño muro de ladrillo, con una entrada de herrería color verde y poblado principalmente por maleza, un árbol de limas y un par de girasoles moribundos aquí y allá.

Unos escalones forrados de yeso llevaban al estrecho pórtico, tapizado con madera sin barniz. A ambos lados de la escalinata figuraban sendos pilares recientemente pintados de color azul cielo, casi transparente, y sin la más mínima consideración al detalle, como se podía constatar por los toscos brochazos que iban de arriba abajo encima de ellos.

A la derecha se encontraba la oficina, inundada de muebles de madera carcomida por las termitas. El suelo, de cerámica color marrón, se hallaba inesperadamente limpio, en contraste con todo lo demás.

Fue en la oficina de Ángel García donde llené mi solicitud.

—¿Está listo?

—Nací listo —bromeé.

—No trae nada consigo —observó.

—Deseo comenzar de cero.

—Hace bien. Pase arriba entonces. El hermano Juan lo llevará a su aposento para que se instale de una vez —me dijo, refiriéndose al viejo y rebautizado Elena.

En el piso de arriba no vi ni jaulas, ni suciedad, ni rastros de los testimonios de maltrato antes mencionados. Lo que encontré fueron simplemente camas sencillas, un promedio de tres por cada cuarto, todas hechas y razonablemente limpias.

No se veía a Jared Roberts por ningún lado.

Yo me quedaría en ese lugar en espera de alguna novedad.

Ramiro, Malasuerte y los otros muchachos seguirían a Ángel García para todos lados, en espera de que éste los guiara hasta Raúl Parra.

19

Era casi de madrugada cuando recibí el mensaje de Ramiro: "Vamos para allá".

Bajé las escaleras cuidándome de no hacer ningún ruido. La casa se encontraba prácticamente vacía; sólo había dos pelones de la banda de Ángel García cuidando el negocio. Ambos se encontraban dormidos.

No tuve que esperar demasiado tiempo. A los pocos minutos una patrulla del municipio arribaba al centro de rehabilitación, con Raúl Parra y Ángel García dentro. La patrulla aguardó a que descendieran y desapareció silenciosamente.

Lucían cansados, aquel par de criminales.

—Alto ahí —dije.

Raúl Parra no pareció espantarse. Simplemente se quedó mirándome fijamente a la cara.

—¿Qué hace usted aquí, hermano? —me preguntó el predicador, como si yo no trajera una pistola en la mano.

—Éste es el que me dijiste que entró hoy, ¿no?

—Así es —respondió Ángel.

—Éste no es ningún adicto… ¿Quién eres realmente? —me preguntó Raúl.

El 300 por fin arribó al negocio de Ángel García. De él descendieron Ramiro, el Malasuerte y los demás muchachos. Todos armados. Los teníamos rodeados.

—Somos detectives privados —el pecho se me hinchó de orgullo cuando pronuncié esto último.

—¿Qué quieren de nosotros?

—Tu cuñada nos contrató para localizarte, Raúl. Eso es todo.

—¿Mi cuñada?

—Ilse Ibarra —intervino el Malasuerte, quien subía las escaleras del pórtico, haciendo rechinar cada uno de los escalones a su paso—. Supongo que quería una tajada del pastel...

—¿Cuál pastel? —preguntó el predicador.

—No nos hagamos tontos; ustedes saben de lo que hablo.

—No le digas que nos encontraste.

—El problema es que ya cobré los mil quinientos por la apertura del caso...

—¿Dólares? —preguntó Ángel.

—Pesos —dijo el Mala.

—¿Todo esto por mil quinientos pesos? —preguntó, escandalizado.

—Más setecientos diarios...

—¿Por cada uno?

—No, sólo yo. Ellos nomás vinieron a echarme una mano... En total son... A ver... Llevamos dos días buscándote... Dos mil novecientos... Más gastos... Hemos estado pidiendo recibo en cada gotera donde llenamos...

—Pero nosotros les podemos dar más, mucho más, tan sólo por que nos dejen tranquilos y se vayan de una buena vez —propuso Ángel.

Raúl mientras tanto se mantenía callado, intentando dominar su cólera. Aquello era demasiada humillación para este recién inaugurado superhombre.

—No creo que ustedes tengan con qué pagarme. Para empezar, lo más seguro es que su rescate sea incobrable. Al haber caído en manos de imbéciles como ustedes, calculo que para estas horas Jared ya es cliente de funeraria, ¿me equivoco? —preguntó el Malasuerte.

—Ya estuvo bueno, no voy a seguir tolerando más insultos de este pendejo —por fin reaccionó Raúl Parra.

—¿Qué me piensas hacer? —lo retó el Malasuerte, mientras me entregaba su pistola.

Raúl Parra intentó tumbar a mi padre con una llave tipo judo pero éste lo mandó por los aires. De ahí lo tomó de la camisa y lo zarandeó un poco. Supongo que estaba rompiendo el hechizo. Volviéndolo el mismo de antes.

20

Esposamos a todos contra el barandal de la entrada. Acto seguido el Malasuerte comenzó a llamar a los diarios, al ejército y a las policías, con excepción de la municipal, por lo que acabábamos de ver.

Le entregó ambas direcciones, la del centro de rehabilitación y la de la casa de seguridad en la colonia Vicente Guerrero, donde se encontraba enterrado el cuerpo de Jared Roberts.

Luego de que se abriera formalmente la investigación, uno a uno, los involucrados en el secuestro y asesinato de Jared Roberts fueron cayendo como fichas de dominó. Los primeros en confesar su participación fueron la banda de Ángel García junto a Raúl Parra, los cuales llevaron a las autoridades directo a Yajaira y Ramón Osuna, todo esto sin pasar por el comandante de la delegación Esperanza, Isidro Ramírez.

Aquel caso fue el que le vino a dar a mi padre fama mundial como detective privado.

Le pedimos que no nos mencionara. Él lo entendió muy bien.

Nunca me dijo si logró cobrarle el resto del dinero a la cuñada de Raúl Parra.

Supongo que ya no importaba.

Esa misma noche el Malasuerte y yo nos despedimos. No fue un "adiós", fue un "nos estamos viendo".

—Gracias —me dijo al final.

—¿Vas a estar bien?

—No te preocupes, yo me encargo de aquí.

Epílogo

1

La avioneta aterrizó en Hermosillo. Continuaríamos nuestro trayecto por carretera. Nadie me supo explicar muy bien por qué.

En Hermosillo, Ramiro y yo nos trepamos a un charger color negro. Los muchachos se quedaron en el aeropuerto con los dos pilotos. Platicando.

Hacía un bonito día en Sonora. Traíamos un disco de Miguel y Miguel. Lo íbamos escuchando sin hablar. Como hipnotizados por su música.

—¿Adónde vamos? —le pregunté a Ramiro, al ver que nos desviábamos hacia la costa.

—Le dije al Canelito lo que hiciste por el Malasuerte. Le dio mucho gusto. Me dio una dirección. Dice que ahí te tiene un regalo preparado.

Aquello no me gustó. No me gustó para nada. Notaba a Ramiro nervioso, incómodo, demasiado callado. Seguramente algo tramaba.

—No es una trampa, ¿cierto? —le pregunté.

—No, ¿cómo crees? —por la manera en que me contestó sonaba sincero—. Es un regalo, te va a gustar. Confía en mí… ¿Está bien así el aire acondicionado?

—Está bien.

—¿Quieres que le baje?

—No; estoy bien.

—¿Entonces no tienes frío?

—No.

—¿Tienes hambre? ¿Quieres que nos bajemos por un taco en la caseta?

—No.

—¿Algo de tomar?

2

En qué lío te has metido ahora, Silverio. Primero te preparan todo el terreno para que orquestes tu venganza a tus anchas, luego te ponen siervos a tu mando que te traen de aquí para allá, dispuestos a hacer lo que les pidas, y ahora hasta te obsequian regalos sorpresas. ¿Cuánto te irán a costar todos estos favores? ¿Qué será de tu preciada independencia de ahora en adelante? ¿Qué será de tu individualidad ya que tengas un montón de gente dependiendo de ti, esperando tus órdenes en todo momento?

Ten cuidado, Silverio; te estás llenando de compromisos. Te espera una vida en la que no podrás ni ir al baño sin un equipo de seguridad escoltándote. ¿Y todo para qué? ¿Acaso fantaseaste alguna vez con la vida de mafioso?

No.

Para ti siempre ha sido otro empleo más, tan aburrido como el resto. ¿Entonces qué haces allí? ¿No dices tú mismo que la gente no te cae, que no te gusta estar rodeado de ella, que sientes que te retrasan y te vuelven tonto? Prepárate entonces. Tal parece que de ahora en adelante nadarás entre ríos de personas a tu alrededor, hablándote y tocándote todo el tiempo, como aquel niñote que te topaste en Mazatlán y que casi te hizo vomitar. Claro, con ese lacra te pudiste dar el lujo de mandarlo a volar, mas no sé si podrás hacer lo mismo con los demás.

Lo ves, es lo malo de aceptar favores: quedas atado de por vida. Aunque, por otro lado, ¿crees que hubieras sido capaz de hacerlo tú solo? Lo más seguro es que no. Hiciste lo correcto, no te mortifiques. Sólo es cuestión de que encuentres la manera de salir lo más pronto posible de este enredo en el que te has metido.

Mientras más rápido mejor.

Vamos.

Díselo.

Hazlo.

—Ramiro…

—¿Sí?

—Yo sé que ustedes me han ayudado bastante y que tengo mucho que agradecerles y todo, pero yo creo que no me va a gustar esta vida de mafioso. No te ofendas, es sólo que no me gusta estar rodeado de tanta gente. Yo siempre he estado solo, es la única manera en que me hallo. No me gustan las sociedades, ¿me entiendes?

—Sí, entiendo lo que dices. No te preocupes. Qué bueno que lo ves así; de hecho, ya no hallaba ni cómo decírtelo.

—¿Qué cosa?

—El Canelito se arrepintió. Me lo acaba de decir. Ahora anda diciendo que el sida no existe, que todo está en la cabeza, que se chingó en la enfermedad y no sé qué más. Me dijo por teléfono algo de que vio un programa con un reportaje de Ricardo Rocha el cual lo hizo ver las cosas de manera distinta, o no sé qué. El caso es que ahora ya se siente mucho mejor, a pesar de que a todos los del pueblo a los que les dio la enfermad ya se murieron. Al parecer la mente del Canelito resultó más fuerte.

—No sabes cuánto me alegra escuchar eso. Te lo agradezco, hermano.

—Gracias a ti también. Sí, me hiciste el trabajo más fácil —y se rió.

Yo recliné mi asiento un poco más hacia atrás y le subí a Miguel y Miguel.

3

Al llegar a Guaymas ingresamos a una zona residencial junto a la playa con casas tipo chalet. De una de estas residencias salió Telma. Sin pie derecho, caminando con la ayuda de un bastón y con la cabeza rapada, pero era ella, sin lugar a dudas. Aquel tremendo sol de Sonora se posaba en su sonrisa, proyectándola en todas direcciones.

Era como si nada malo hubiese pasado entre nosotros dos. No éramos más que un par de seres humanos buscando la felicidad. Eso lo entendíamos perfectamente.

Me bajé de la camioneta. Corrí a abrazarla.

Yo no quería un ama de casa que criara a mis hijos, lavara mi ropa, sacudiera mis muebles y zurciera mis calcetines rotos. Yo quería a Telma. Es lo que la gente nunca entiende.

—Te amo —le dije.

Ella se volvió a quedar callada, como siempre, y me abrazó.

Me separé de Telma, le besé la frente y me le quedé mirando de cerca, tomándola de su cabecita rapada. Una pequeña lágrima solitaria comenzó a surcar su mejilla.

—Le dije al Canelito que me darías otra oportunidad; yo sabía que lo harías, amor. Le mostré la carta que me enviaste desde prisión. Está muy bonita… Fue muy bonito todo lo que hiciste por mí también.

Sí, supongo que el infierno puede esperar.

FIN

El infierno puede esperar, de Hilario Peña
se terminó de imprimir en octubre de 2010
en los talleres de Litográfica Ingramex, S.A. de C.V.
Centeno 162-1, Col. Granjas Esmeralda,
C.P. 09810 México, D.F.